Il était une fois...

12 histoires à raconter

la courte échelle

Les éditions de la courte échelle inc.
5243, boul. Saint-Laurent
Montréal (Québec) H2T 1S4

Conception graphique de la couverture: Elastik

Conception graphique de l'intérieur: Derome design inc.

Dépôt légal, 3e trimestre 2005
Bibliothèque nationale du Québec

La courte échelle reconnaît l'aide financière du gouvernement du Canada par l'entremise du Programme d'aide au développement de l'industrie de l'édition pour ses activités d'édition. La courte échelle est aussi inscrite au programme de subvention globale du Conseil des Arts du Canada et reçoit l'appui du gouvernement du Québec par l'intermédiaire de la SODEC.

La courte échelle bénéficie également du Programme de crédit d'impôt pour l'édition de livres — Gestion SODEC — du gouvernement du Québec.

Catalogage avant publication de Bibliothèque et Archives Canada

Vedette principale au titre:

Il était une fois: 12 histoires à raconter

Publ. à l'origine en 12 v. séparés dans la coll.: Il était une fois.

Sommaire: La petite fille qui détestait l'heure du dodo / Marie-Francine Hébert — Il était une fois un monsieur nommé Piquet qui adorait les animaux / Raymond Plante — L'ourson qui voulait une Juliette / Jasmine Dubé — Un petit garçon qui avait peur de tout et de rien / Stanley Péan — Grattelle au bois mordant / Jasmine Dubé — Une chauve-souris qui pleurait d'être trop belle / Chrystine Brouillet — Le crocodile qui croquait les cauchemars / Sonia Sarfati — Une Barbouillée qui avait perdu son nez / Raymond Plante — La petite fille qui voulait être roi / Marie-Danielle Croteau — La curieuse invasion de Picots-les-Bains par les zèbres / Raymond Plante — Le petit frère du Chaperon rouge / Marc Tremblay — Graindsel et Bretelle / Sylvain Meunier.

ISBN 2-89021-817-1

1. Histoires québécoises pour enfants. I. Hébert, Marie-Francine. II. Sarrazin, Marisol.

PS8329.5.Q4I4 2005   jC843'.5408'09714 C2005-941360-3
PS9329.5.Q4I4 2005

Imprimé en Chine

La petite fille qui détestait l'heure du dodo
Texte de Marie-Francine Hébert
Illustrations de Marisol Sarrazin
Copyright © la courte échelle, 1995

Un monsieur nommé Piquet qui adorait les animaux
Texte de Raymond Plante
Illustrations de Marie-Claude Favreau
Copyright © la courte échelle, 1996

Un petit garçon qui avait peur de tout et de rien
Texte de Stanley Péan
Illustrations de Stéphane Poulin
Copyright © la courte échelle, 1998

L'ourson qui voulait une Juliette
Texte de Jasmine Dubé
Illustrations de Leanne Franson
Copyright © la courte échelle, 1997

Grattelle au bois mordant
Texte de Jasmine Dubé
Illustrations de Doris Barrette
Copyright © la courte échelle, 1998

Une chauve-souris qui pleurait d'être trop belle
Texte de Chrystine Brouillet
Illustrations de Leanne Franson
Copyright © la courte échelle, 2000

Le crocodile qui croquait les cauchemars
Texte de Sonia Sarfati
Illustrations de Caroline Merola
Copyright © la courte échelle, 2000

Une Barbouillée qui avait perdu son nez
Texte de Raymond Plante
Illustrations de Marie-Claude Favreau
Copyright © la courte échelle, 2000

La petite fille qui voulait être roi
Texte de Marie-Danielle Croteau
Illustrations de Christiane Beauregard
Copyright © la courte échelle, 2001

La curieuse invasion de Picots-les-Bains par les zèbres
Texte de Raymond Plante
Illustrations de Leanne Franson
Copyright © la courte échelle, 2002

Le petit frère du chaperon rouge
Texte de Marc Tremblay
Illustrations de Fil et Julie
Copyright © la courte échelle, 2004

Graindsel et Bretelle
Texte de Sylvain Meunier
Illustrations de Steeve Lapierre
Copyright © la courte échelle, 2004

Texte de Marie-Francine Hébert
Illustrations de Marisol Sarrazin

La petite fille qui détestait l'heure du dodo

Il était une fois une petite fille qui détestait l'heure du dodo. Chaque soir, c'était la même histoire. Elle faisait tout pour retarder le moment de se retrouver seule dans son lit.

«Maman, j'ai soif», se lamentait la fillette. La mère lui apportait à boire et lui donnait un tout dernier bisou. La petite fille en réclamait alors un tout dernier à son père, pour que le compte des bisous soit égal.

Là, elle ne laissait plus repartir son papa tant qu'il ne lui avait pas raconté une histoire. «Bonne nuit, mon ange», murmurait finalement le père en s'éloignant. La fillette se rappelait alors que sa maman ne l'avait pas bordée en lui chantant: «Bonne nuit, mon enfant. Dans tes langes, dors...» Et la mère devait revenir dans la chambre.

Elle n'était pas sitôt ressortie que l'enfant se plaignait de la chaleur, et le papa venait ouvrir la fenêtre. Ensuite, il faisait trop froid, et la maman ajoutait une couverture de laine. Et, inlassablement, la fillette répétait: «Je t'en prie, reste avec moi jusqu'à ce que je m'endorme.»

Un soir les parents, épuisés par une dure journée de travail, se mirent au lit dès que leur fille fut couchée. À peine avaient-ils posé la tête sur l'oreiller, qu'elle commença à gémir. «Fais dodo, ma chouette!» soupirèrent les parents. «Je ne m'endors pas, bon!» s'exclama la fillette entêtée. «Compte les moutons!» répliquèrent les parents à bout de patience.

«Quels moutons?» se demanda la petite fille en jetant un regard vers la fenêtre de sa chambre. Elle ne voyait même pas le ciel, tant il y avait d'édifices. Elle n'entendait rien d'autre que le roulement des voitures sur le boulevard tout près. Aucun mouton n'était assez imprudent pour s'y aventurer.

«Quels moutons!?» cria l'enfant. «Ferme les yeux et...» Les parents avaient si hâte de s'endormir dans les bras l'un de l'autre qu'ils ne prirent pas la peine de finir leur phrase.

La petite fille ne s'était jamais sentie aussi seule. Il faisait si noir. Et son lit lui semblait tellement grand qu'elle avait peur de se perdre dedans. Elle ferma les yeux, faute de mieux. Ho! surprise! une fenêtre apparut dans sa tête. Juste derrière ses paupières. On aurait dit la fenêtre de sa chambre, sauf qu'elle donnait sur la campagne.

Dans le ciel, la fillette pouvait voir le doux visage de la lune dans sa cape de velours noir piqué d'étoiles. Une étrange mélodie parvenait à ses oreilles. C'était la brise qui caressait le feuillage des arbres, comme s'il s'agissait d'un instrument de musique. L'air sentait bon le foin, les fleurs des champs et les framboisiers. La petite fille s'accouda à la fenêtre et inspira profondément. C'est alors que, dans la demi-obscurité, elle aperçut un pré couvert d'herbe fraîche, le mets préféré des moutons. Les petits coquins ne devaient pas être loin.

En moins de temps qu'il n'en faut pour le dire, des moutons sortirent tout joyeux de l'ombre et se mirent à brouter. Leur laine était blanche et frisée en tire-bouchon. De vrais moutons de rêve! Mais ainsi rassemblés pêle-mêle, il était impossible de les compter. La fillette frappa dans ses mains pour qu'ils se mettent en file: «Youhou, les amis... les amis...» Mais elle ne réussit qu'à attirer l'attention de ses parents qui demandèrent, à moitié endormis: «Tu ne dors pas encore, mon gros loup?»

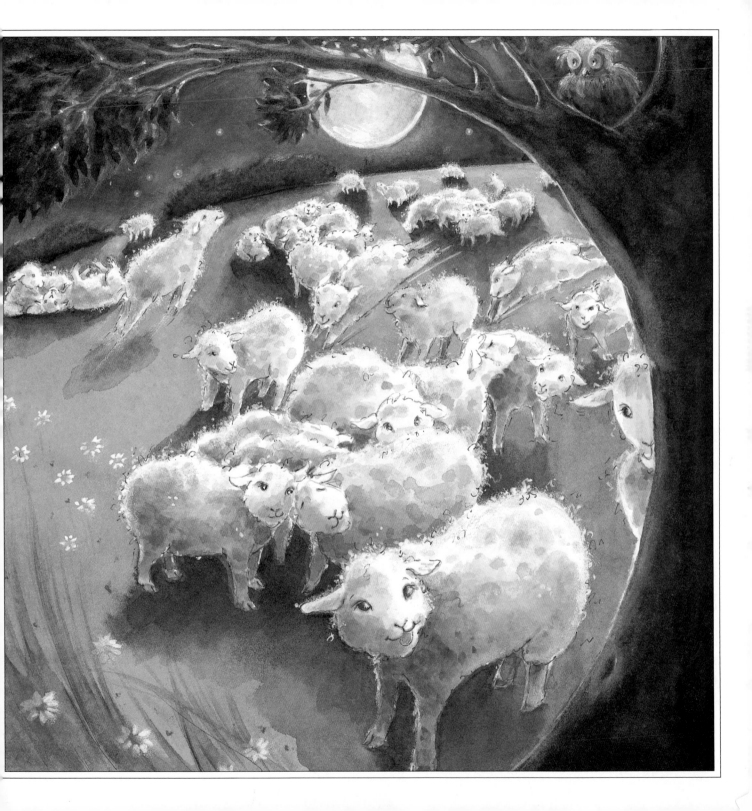

Quand on parle du loup, on en voit la queue. Surtout si l'animal la laisse dépasser du framboisier derrière lequel il s'est caché. Pris de panique, les moutons se précipitèrent les uns contre les autres en bêlant à fendre l'âme: Bêê... Bêê... Car lorsqu'un loup a flairé la bonne odeur de petits moutons bien tendres, il n'a qu'une idée en tête: en croquer quelques-uns.

La petite fille tenta de le chasser avec de grands gestes de la main. Pischh! Pischh! Le loup, qui n'avait nullement l'intention de laisser échapper un tel festin, sortit de sa cachette et grogna GRRRRRRRR! en montrant la presque totalité de ses quarante-deux dents. Il était tout noir avec des oreilles pointues et de gros yeux jaunes qui brillaient dans la nuit, comme dans les pires cauchemars. Les moutons tremblaient si fort qu'on entendait leurs os claquer.

«Papa, maman, que dois-je dire au loup pour qu'il laisse les moutons tranquilles?» s'écria la fillette.

«Ça suffit, il est assez tard. Au dodo!» répondirent les parents, en s'empressant d'enfouir leur tête sous l'oreiller pour ne plus être dérangés dans leur sommeil. «Ça suffit, il est assez tard. Au dodo!» répéta l'enfant à l'intention du loup. «Je ne m'endors pas, bon!» s'exclama le loup entêté. La fillette ne pouvait tout de même pas lui conseiller de compter les moutons. SES moutons!

N'écoutant que son coeur, la petite sortit par la fenêtre et marcha en direction du loup. Elle sentait la fraîcheur humide du sol sous ses pieds nus et de grands frissons parcouraient son corps. Car elle avait beau faire semblant d'être courageuse, dans le fond, elle ne se sentait pas plus grosse qu'un bébé-mouton.

Tous les enfants ont peur des loups, c'est bien connu. Et le loup en question était sûr que la fillette ne faisait pas exception. Convaincu que cela suffirait à lui faire rebrousser chemin, l'animal lança un hurlement terrible: HOUHOUHOU! La petite fille s'arrêta net, blanche et tremblante de peur, comme le plus faible des bébés-moutons: «J'ai trop peur, je retourne chez moi.»

Les moutons savaient bien qu'ils seraient incapables de se défendre tout seuls, et ils tournèrent vers la fillette leurs yeux remplis de larmes.

«Je ne peux pas les abandonner ainsi», se dit l'enfant. «Tant pis pour mes parents si le loup me mange. Ils auraient dû savoir que lorsqu'on cherche des moutons, on risque de rencontrer le loup.» La petite fille leva les yeux au ciel, comme pour se donner le courage de continuer. C'est alors qu'elle crut voir la lune lui faire un clin d'oeil. L'instant d'après, un rayon de lune se trouva sur son chemin. Dès que la fillette le traversa, l'ombre géante de son corps fut projetée sur le pré.

Le loup a beau faire le fanfaron, dans le fond, il craint les humains. Surtout ceux qui ont le pouvoir de se transformer en géants. Terrifié, l'animal s'enfuit aussitôt, la queue entre les jambes.

Les moutons se pressèrent autour de celle qui venait de leur sauver la vie, et lui firent la fête, et la couvrirent de baisers. Ils se mirent à la file sans se faire prier: cela faisait tellement plaisir à leur nouvelle bergère.

Mais voilà que, juste avant de commencer à les compter, la fillette leur dit: «Ne bougez pas, mes chéris, attendez mon signal! Je vais vous compter de mon lit, car je ne voudrais pas tomber endormie au beau milieu du pré.» Puis, elle retourna à sa chambre, sans se préoccuper du loup. Les moutons, eux, savaient bien que le chenapan n'attendait que cela pour revenir.

La petite fille eut à peine le temps de se coucher, que les moutons, qui l'avaient suivie à la queue leu leu, sautèrent par la fenêtre et vinrent se blottir dans son lit. Ils n'eurent aucun mal à la convaincre que le meilleur moyen de s'endormir n'est pas de compter les moutons, mais de les inviter à dormir à la maison.

C'est ainsi que, bien en sécurité dans les bras les uns des autres, tout le monde s'endormit.

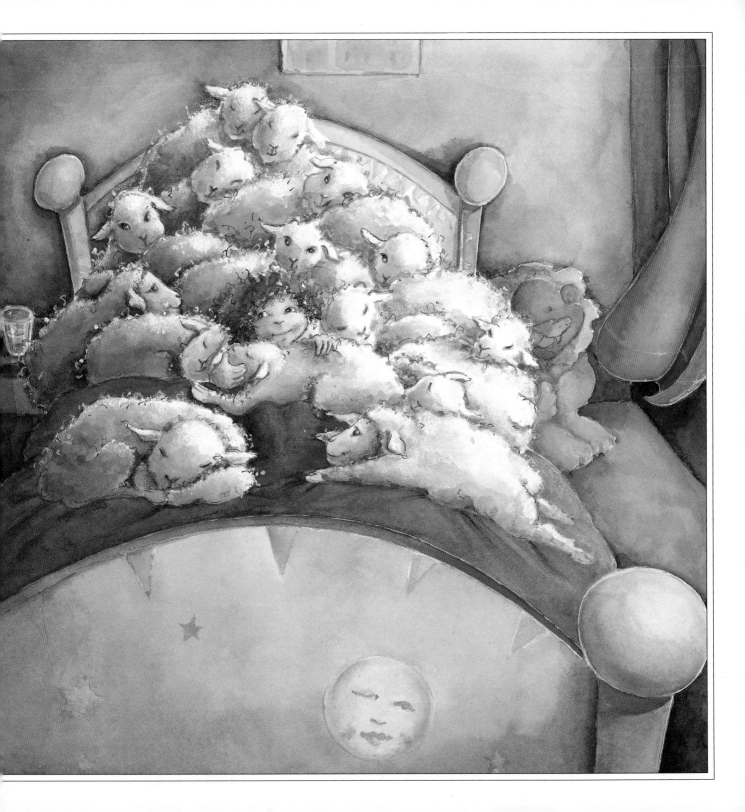

Texte de Raymond Plante
Illustrations de Marie-Claude Favreau

Un monsieur nommé Piquet qui adorait les animaux

Il était une fois un vieux camion rouge plein de mulots. C'était un camion délabré, cabossé, dont les pneus étaient à plat et le moteur silencieux depuis longtemps.

Son propriétaire, un monsieur nommé Antoine Piquet, racontait à qui voulait l'entendre que les mulots n'avaient pas envahi son véhicule. Ils étaient là pour le rafistoler.

Ces petites bêtes lui avaient même promis de le remettre en état de rouler.

Des mulots mécaniciens! Antoine Piquet n'y croyait pas tellement lui-même. Toute sa vie, il avait voulu enseigner des tours aux animaux qu'il adorait. Cela lui avait valu de drôles de mésaventures. Maintenant, il en riait.

Ce jour-là, comme il le faisait souvent, il s'installa sur la banquette trouée du camion et se prit à raconter ses aventures à ses amis.

— Comment tout cela a-t-il commencé? demanda Grignotin, le mulot qui sentait toujours l'essence.

— À la garderie, répondit le monsieur. Par une histoire de poux.

Le jour où il avait attrapé des poux, Antoine Piquet, alors tout jeune, s'était aperçu que ces bestioles éprouvaient beaucoup d'affection pour sa bonne tête. Dès qu'il essayait d'en attraper un, le joyeux pou bondissait ailleurs dans ses cheveux.

Bientôt, il y en eut une telle quantité que les petites bêtes ne pouvaient plus se cacher. Antoine les apprivoisa et leur apprit leur premier tour.

Les poux, on ne le sait peut-être pas, sont de fameux joueurs et, surtout, d'extraordinaires sauteurs. Ah! s'il y avait des Olympiques de poux!

Les poux d'Antoine sautaient avec tant de conviction qu'ils s'amusèrent bientôt à bondir d'une tête à l'autre.

En moins de temps qu'il n'en faut pour écrire chou, hibou ou genou, tous les enfants de la garderie furent infestés de poux.

Pas seulement les enfants!

Partout, les poux jouaient avec les cubes, les autos, les casse-tête et les poupées. Ils tournaient les pages des livres. Ils époussetaient les plantes et se roulaient dans la gouache des dessins.

La directrice de la garderie n'était pas contente. Antoine Piquet dut donc rappeler ses poux, les rassembler dans une grande boîte et les amener chez lui.

— Tu les as ramenés à la maison? demanda Pichenotte en transportant une clé anglaise beaucoup trop lourde pour elle.

Parce qu'il faut vous dire que les mulots, tout en écoutant les histoires d'Antoine, poursuivaient leur travail avec acharnement.

— Mes poux? répondit le bonhomme. Non, je ne les ai pas ramenés chez moi, parce que la boîte s'est ouverte dans l'autobus et ils se sont enfuis. Je crois que le chauffeur se gratte encore.

— Tu voulais les donner à ton chien? poursuivit Pichenotte.

— Mon chien, je l'ai eu plus tard. Quand j'allais à l'école primaire.

Ce chien s'appelait Bébert, c'était le roi des paresseux. Il aimait bien jouer, mais pas trop souvent. Antoine voulut le dresser à rapporter. Mais le coquin avait eu des réactions plutôt bizarres.

Un jour, le garçon avait lancé une balle de tennis de l'autre côté de la rue. Bébert s'était précipité et, dans sa gueule, il avait rapporté le sac du facteur.

Le lendemain, le jeune Antoine avait lancé un bout de bois dans la ruelle. Bébert avait rapporté les lunettes d'une grand-mère.

Le surlendemain, le garçon avait lancé une vieille chaussette bourrée de paille dans la cour du voisin. Le chien était revenu, la queue battante et fier de son coup. Cette fois, il rapportait la perruque de M. Dufort... qui n'était pas content du tout. On aurait même pu faire cuire un oeuf sur le crâne du bonhomme tellement il était en colère.

Antoine Piquet dut convenir que Bébert resterait un véritable paresseux, le champion des ronfleurs.

En entendant le mot «ronfleur», Siffleux, le mulot qui se prenait pour un électronicien hors pair, se montra le bout du museau. Depuis des semaines, il essayait de réparer la radiocassette du camion sans en tirer le plus petit son.

— J'espère que les ronflements de ton chien avaient quelque chose de musical. Des notes, du rythme, une mélodie...

Antoine sourit en observant le mulot gesticuler comme un chef d'orchestre.

— Pas tellement, mon cher Siffleux. Bébert n'avait pas l'oreille musicale non plus.

— Ce n'est pas tout le monde qui aime la musique, poursuivit Pichenotte en traînant une bougie d'allumage qui, pour elle, devait peser une tonne.

— C'est à mes chats que j'ai donné quelques cours de chant, ajouta M. Piquet.

Aux mulots qui l'écoutaient, Antoine Piquet rappela la belle époque où il faisait partie d'un groupe rock.

— Nous allions donner des concerts un peu partout en province, à bord de ce vieux camion, justement. Il était beaucoup plus fringant à l'époque. Il parcourait les routes cahoteuses, chargé de musiciens et de chats de gouttière.

Au fil des concerts dans les ruelles, alors qu'il dirigeait son choeur de félins, Antoine amassa la plus grande collection de chaussures au monde.

Les soirs de pleine lune, ses vedettes miaulaient si mal qu'elles en reçurent de toutes les sortes sur la tête: de la grande bottine de clown au soulier de course déglingué, en passant par le chic escarpin, la sandale, la pantoufle et le réveille-matin qui, comme chacun le sait, ne fait pas partie de la famille des chaussures.

— Mais je n'ai pas ouvert un musée de vieilles savates pour autant, glissa en souriant le monsieur.

Non. Son amour des animaux avait plutôt amené Antoine à travailler comme gardien dans un jardin zoologique. C'est là qu'une grande famille de flamants roses s'était prise d'affection pour lui. Partout où Antoine allait, ils le suivaient pas à pas.

Une vraie parade de flamants roses. À la quincaillerie, à la pharmacie, chez le marchand de fruits et de légumes, toujours ses flamants l'imitaient. Pas moyen de s'en débarrasser.

Quand il entrait chez des amis, il devait refermer rapidement la porte derrière lui. Si on l'invitait à une fête surprise, tout le monde savait qu'il était de la partie: ses flamants l'attendaient patiemment, immobiles sur la pelouse.

De là naquit la curieuse habitude de planter des flamants roses devant la maison des gens dont on célèbre l'anniversaire.

— Toi aussi, ça va bientôt être ta fête!

Coquette, la fêtarde, avait parlé en agitant les poils dressés sur sa tête. C'était elle qui raccordait les fils à la batterie du camion. Parfois, elle confondait les fils et recevait des décharges terribles.

— Je ne parle pas de ton anniversaire, précisa Coquette. Je dis que ce sera ta fête quand ton camion va rouler.

Son camion sur la route? Antoine Piquet n'y croyait plus. Comment les mulots réussiraient-ils cet incroyable tour de force?

Mais ils n'arrêtaient pas leurs travaux. Et alors que, de toute la puissance de ses poumons, Grignotin finissait de gonfler les pneus, un vacarme énorme se fit entendre.

Le camion crachota deux ou trois fois, puis il démarra. Surpris, Antoine fut projeté au creux de la banquette. Il ne pouvait pas voir la route, mais il sentait fort bien que le véhicule pétaradait, cahotait, dérapait. Il entendait même la radio jouer.

À un moment donné, il vit apparaître la figure d'un policier dans le rétroviseur.

— Arrêtez! hurla l'homme en se cramponnant à sa moto. Il faut m'expliquer pourquoi vous n'êtes pas au volant.

Dans le bruit qui l'enveloppait, Antoine cria:

— Ce sont les mulots qui conduisent mon camion!

— Les mulots! s'exclama le policier. Et moi, je suis un orang-outang peut-être? Vous avez un truc, je veux le connaître. On n'apprend pas à un vieux singe à faire la grimace.

— J'ai déjà essayé! hurla Antoine. Les chimpanzés font des grimaces extraordinaires. Ils peuvent se mettre les yeux à l'envers, se toucher le nez avec la langue et battre des oreilles!

Antoine Piquet en fit même une démonstration étonnante. Il grimaçait mieux que n'importe quel singe.

Les mulots rigolaient. Le camion accéléra en rugissant.

Le policier abandonna la poursuite. Longtemps, il crut qu'il avait rêvé tout cela. Parce qu'un camion conduit par des mulots, avec à son bord un monsieur grimaçant, ça ne se peut vraiment pas.

Texte de Jasmine Dubé
Illustrations de Leanne Franson

L'ourson
qui voulait une Juliette

À *Josée Poirier*
et aux tout-petits de «la douce école»

Il était une fois un petit ours qui habitait dans une forêt avec ses parents. C'était un ourson sympathique, plutôt mignon, pas trop grognon, amateur de champignons et de bonbons.

Mais le petit ours s'ennuyait.

Un après-midi, alors qu'il se promenait, il aperçut une fillette qui jouait près d'une épinette. L'ourson se cacha pour l'observer. La fillette portait des lunettes, une casquette et une jupette.

Près d'elle, deux grandes personnes cueillaient des fraises. Ils appelaient la petite «Juliette». Comme c'était joli, une Juliette.

Au bout d'un moment, les trois montèrent dans une voiture qui démarra dans un bruit d'enfer. Même s'il avait très peur, l'ourson courut derrière l'auto pour rattraper la Juliette. Mais ses petites pattes ne pouvaient pas aller si vite... L'ourson s'assit tristement au milieu du chemin, il reprit son souffle puis il rentra chez lui, la tête basse.

Ses parents lui demandèrent pourquoi il avait cet air tristounet. L'ourson leur répondit qu'il voulait une Juliette.

— Une Juliette! Qu'est-ce que c'est, une Juliette?

Et il leur expliqua qu'une Juliette c'était comme une ourse sans poils qui marchait sur deux pattes et qui accrochait de drôles de petites vitres devant ses yeux. Et puis, une Juliette portait aussi une casquette et une jupette. Toute la journée, le petit ours parla de Juliette.

À la nuit tombée, lorsque ses parents le mirent au lit, l'ourson demanda une Juliette. Papa et maman ours lui racontèrent une histoire.

Mais le petit ours réclamait encore une Juliette...

Alors ils embrassèrent tendrement leur petit.

Mais l'ourson souhaitait toujours une Juliette...

Alors ils lui chantèrent une berceuse.

Quand le petit ours fut enfin endormi, les parents se regardèrent, embêtés. Où pouvait-on trouver une Juliette?

Pour son anniversaire, l'ourson reçut des lunettes, une casquette et une jupette. Vite il s'empressa de retourner les vêtements en tous sens, mais il avait beau regarder, il n'y avait pas de Juliette dans le costume.

Alors, le petit ours mit ses lunettes, sa casquette et sa jupette et il partit à la recherche de sa Juliette. Il marcha longtemps, longtemps, et finit par arriver à la ville. Il était si étonné de tout ce qu'il voyait autour de lui – les édifices, les voitures, les rues – qu'il faillit se faire renverser par un camion.

Il entra dans une boulangerie.

— Bonjour, petite! s'exclama le boulanger. Tu passes bien tôt l'Halloween. Comment t'appelles-tu?

— Ju-li-ette! dit le petit ours.

— Tiens, Juliette, ces bonbons sont pour toi.

L'ourson regarda autour. Il n'y avait pas de Juliette ici. Alors, il sortit de la boulangerie et il avala tous les bonbons d'un seul coup! Sloup!

Puis, il aperçut des Juliette dans la vitrine d'une boutique. Il entra. C'était un magasin de vêtements d'enfants.

— Bonjour, tu cherches quelqu'un? demanda la vendeuse.

— Ju-li-ette! répondit le petit ours.

— Ah! Je regrette, ma belle, Juliette ne travaille pas aujourd'hui.

L'ourson s'approcha des Juliette de la vitrine. Ce n'étaient pas de vraies fillettes, mais des mannequins de plâtre. Déçu, il sortit de la boutique et marcha dans la ville. Il se sentait de plus en plus seul. Où donc étaient les Juliette?

Soudain, son cœur se mit à battre très fort. Plus loin, il y avait une école. Des enfants costumés jouaient dans la cour. Tout joyeux, il courut vers eux.

Il joua avec une Juliette habillée en sorcière qui lançait un ballon rouge au ciel. Le petit ours attrapa le ballon, mais avec ses griffes il le creva. La sorcière se mit à pleurer. L'ourson était tout à fait désolé et restait là, désemparé. Un enfant déguisé en squelette vint consoler la sorcière. Le petit ours s'éloigna tristement.

C'est alors qu'une fillette habillée en lapin s'approcha et lui tendit une carotte. Elle portait des lunettes, une casquette et une jupette... Le cœur du petit ours s'emballa.

— Ju-li-ette! Ju-li-ette! dit l'ourson en prenant la fillette dans ses bras.

Il lui fit un gros câlin, se roula en boule, pirouetta, sauta, dansa autour de l'enfant-lapin. La petite, étonnée, se mit à rire, tout heureuse de trouver un ami aussi enthousiaste.

Le petit ours ne quitta pas l'enfant-lapin d'une semelle. Après l'école, il la suivit jusque dans sa maison.

— Comment t'appelles-tu? demanda la maman à l'ourson.

— Ju-li-ette, répondit-il.

— Tu as un très beau costume d'ours, Juliette, dit le papa.

Puis on passa à table. L'ourson avait faim: il mangea tout le contenu de son assiette et il vida un pot de miel.

Le soir tombait tout doucement. L'ourson ressentit soudain une petite tristesse. Il pensait à son papa et à sa maman qui s'inquiétaient sûrement pour lui.

La fillette l'invita à jouer dans sa chambre, et c'est alors que l'ourson aperçut une toute petite Juliette sur le lit.

— Ju-li-ette! Oh! Ju-li-ette! fit-il, émerveillé.

— Tu aimes ma poupée? dit-elle en la lui tendant.

L'ourson prit délicatement la poupée entre ses pattes; il la berça et l'embrassa.

Toute la soirée, il la garda sur son cœur.

Tout à coup, on entendit des grattements et des grognements à l'extérieur. Le père ouvrit la porte et deux gros ours apparurent.

— Bonsoir. Quelle bonne idée de vous être déguisés en ours comme votre Juliette! Nous aurions dû nous costumer en parents-lapins, nous aussi.

Tout heureux, le petit ours se jeta dans les pattes de ses parents. Puis il leur montra la poupée. Papa et maman ours sourirent. Il était bien débrouillard, leur ourson. Il voulait une Juliette? Il avait trouvé une Juliette!

Mais il était temps de rentrer à la maison. Le lapin et l'ourson s'embrassèrent tendrement.

— Je te donne ma poupée. Bonne nuit, Juliette!

— Ju-li-ette! répéta le petit ours qui grimpa sur le dos de son papa.

Et les trois ours partirent en direction de la forêt. Cette nuit-là, l'ourson s'endormit en serrant dans ses bras la poupée Juliette qu'il emporta dans ses rêves.

La fillette, elle, ne revit plus son ami l'ours. Pour la consoler, ses parents lui offrirent un ourson en peluche qui ne la quitta plus jamais, jamais.

Texte de Stanley Péan
Illustrations de Stéphane Poulin

Un petit garçon qui avait peur de tout et de rien

À Jean
(S. Péan)

À Yahriel qui n'a plus peur des ballons
(S. Poulin)

Il était une fois un petit garçon peureux, mais peureux… Il s'appelait Popaul et il était si froussard que même ses parents ne comptaient plus ses peurs.

Popaul rêvait d'être comme les héros de ses bandes dessinées, sans peur et sans reproche. Mais il se mettait à trembler à la vue d'un chat ou d'un chien. Il claquait des dents dès que le tonnerre grondait, que les éclairs ciselaient les nuages noirs. Et le moindre bruit provenant du sous-sol, la nuit, le remplissait de frayeur.

Seul dans sa chambre, il imaginait des scénarios d'épouvante. Pour lui, le monde était peuplé de créatures qui lui voulaient du mal. Il redoutait les insectes, les araignées et les serpents. Il détestait entrer seul dans les cabines d'essayage des boutiques de vêtements, car il craignait que ses parents ne l'abandonnent.

Bref, il avait peur de tout et de rien.

Popaul avait notamment très peur de l'obscurité.

Aussi, il ne s'aventurait jamais dans le sous-
sol. Popaul avait peur de se retrouver seul dans
ce lieu qui lui semblait plus noir que la gueule
d'un monstre. Il avait toujours l'impression de
sentir une présence près de lui: un fantôme tapi
dans la noirceur.

Ses parents avaient beau lui répéter que la
maison n'était pas hantée, Popaul ne voulait rien
entendre. Il avait bien trop peur dans le noir.
Voilà pourquoi il exigeait que sa lampe de chevet
reste allumée toute la nuit. Au grand désespoir
de ses parents, Popaul demeurait intraitable. Il
croyait dur comme fer que, si on éteignait,
les ombres de la nuit se refermeraient sur lui
et l'étoufferaient pendant son sommeil.

À l'école, les élèves l'avaient surnommé «Popoltron» et avaient fait de lui leur tête de Turc!

Ses compagnons inventaient mille et un tours pendables. Ensuite, ils se tordaient de rire devant son visage rendu blême par l'épouvante. Une fois, ils avaient glissé une couleuvre en plastique dans son casier. Un autre jour, ils l'avaient poussé dans l'armoire à balais de la conciergerie et ils en avaient verrouillé la porte à double tour.

Popaul ne comprenait pas pourquoi ils étaient si méchants avec lui. Il aurait tellement aimé faire partie de la bande. Mais les garçons se moquaient toujours, sans se rendre compte à quel point leurs plaisanteries le faisaient souffrir.

Seul et sans personne à qui se confier, Popaul se sentait triste. Son chagrin était comme une grosse pierre qui lui pesait sur la poitrine.

Lorsqu'il rentrait de l'école, il lui arrivait d'éclater en pleurs. En sanglotant, il racontait à sa mère les méchancetés que les autres garçons lui faisaient endurer.

Sa mère séchait tendrement ses larmes.

— Ne t'en fais pas, mon petit, disait-elle. Ce n'est pas très grave. De toute façon, quand on ne vaut pas une risée, on ne vaut pas grand-chose…

Avec ces paroles encourageantes, la mère de Popaul espérait remonter le moral de son fils. Mais, au fond, elle et son mari n'en revenaient pas de son comportement. Le père était désespéré à l'idée que son enfant était le garçon le plus peureux du monde.

— Ça ne peut plus durer! s'exclama-t-il. Il faut faire quelque chose.

Les parents de Popaul prirent rendez-vous avec le docteur Lacroix. Cette dame cordiale et élégante les reçut dans son bureau bien rangé. Elle offrit au gamin des bonbons à la menthe. Popaul n'osa pas en prendre, de peur qu'ils ne soient empoisonnés…

Le docteur Lacroix écouta le père du garçon exposer «le problème».

— Popaul aura bientôt l'âge de raison, mais il agit comme un bébé!

— Allons, répondit le docteur Lacroix, d'une voix apaisante. Ça ne sert à rien d'accabler de reproches votre fils.

Le médecin proposa à Popaul de discuter en tête-à-tête de ses peurs. Il refusa. Pas question qu'on le laisse avec cette femme! Même si elle était gentille, il ne lui faisait pas confiance. Il la soupçonnait d'être une ogresse déguisée en médecin. Les trois adultes eurent beau cajoler, supplier, ordonner, menacer… rien n'y fit. Popaul ne capitulait pas.

— Vous voyez, docteur! s'emporta le père. Popaul a peur de tout et même de son ombre!

Peur de tout et même de son ombre!

Son ombre! Dire qu'il ne s'en était jamais méfié outre mesure!

À compter de ce jour, les mauvais coups de ses compagnons de classe le laissèrent indifférent. Les insectes, les araignées et les reptiles n'impressionnaient plus Popaul. Les orages électriques et les hurlements du vent, la nuit, ne lui faisaient plus ni chaud ni froid. Les fantômes, les vampires... tout ça n'avait plus aucune importance.

Ces menaces lui semblaient tout à coup ridicules.

Mais une ombre, c'était une parcelle d'obscurité qui vous talonnait à longueur de journée. D'où venait-elle? Que lui voulait-elle? Et pourquoi ne le lâchait-elle pas d'un pas?

Popaul se mit à y penser tout le temps. Méfiant, il jetait des coups d'oeil par-dessus son épaule pour s'assurer que son ombre ne lui jouait pas dans le dos.

Puis, Mamie Justine vint habiter chez lui.

Popaul ne la connaissait pas très bien. Avant, elle vivait dans une autre ville, très loin. Chaque année, elle venait à la maison pour le temps des Fêtes. Elle lui offrait toutes sortes de talismans et d'objets magiques qui étaient censés lui porter chance et conjurer le mauvais sort: une patte de lapin, un fer à cheval, une pierre-de-lune. Tous ces cadeaux inspiraient de la méfiance à Popaul.

Aussi, le garçon ne raffolait pas de sa grand-mère. Il faut dire qu'avec ses cheveux gris, sa peau comme du papier chiffonné, ses doigts maigres aux grands ongles, Mamie Justine ressemblait à une sorcière. De plus, il lui arrivait de marmonner des mots bizarres dans une langue que Popaul ne comprenait pas. C'est pourquoi elle l'effrayait un peu.

Maintenant, Popaul acceptait de rester seul avec elle sans faire de chichi. Son ombre était bien plus inquiétante que la vieille dame.

Un soir qu'ils allaient au théâtre, les parents de Popaul l'avaient laissé en compagnie de Mamie Justine. La soirée se déroula sans anicroche. À l'heure de border le gamin, Mamie Justine eut la mauvaise idée d'essayer d'éteindre la lampe de nuit.

— Non! N'y touche pas! hurla le garçon, pris de panique.

Sa grand-mère arqua un sourcil. Les parents de Popaul lui avaient parlé des phobies de son petit-fils, mais elle ne pensait pas que c'était si grave. Du bout d'un ongle, elle tapota le nez de Popaul.

— Ça va. Je laisse la lumière, mon garçon, dit-elle. Je sais combien c'est dur de vivre tout le temps seul avec ses frayeurs.

Popaul n'en revenait pas: pour la première fois, un adulte le comprenait!

— Tu ne devrais pas craindre ton ombre, poursuivit Mamie. Elle n'est pas ton ennemie, mais ton ange gardien. Regarde…

Mamie se tourna vers l'ombre de Popaul. La vieille femme se mit à agiter les mains en murmurant des paroles incompréhensibles.

Une formule magique! Mamie Justine était bel et bien une sorcière!

Soudain, l'ombre cessa de singer les gestes de Popaul et se détacha du mur. Figé, le garçon entrouvrit les lèvres, mais il n'arrivait pas à assembler ses mots. Son ombre avançait vers lui!

— N'aie pas peur, le rassura sa grand-mère. Elle te tend la main.

Bouche bée, Popaul accepta de prendre la main offerte dans la sienne. Il crispa ses paupières. Le contact de la paume de son ombre était doux, un vrai gant de velours. Popaul serra plus fort, avec confiance. Il avait l'impression de faire la paix avec lui-même.

Quand il relâcha sa prise, le garçon ouvrit les yeux. Son ombre avait repris sa place sur le mur. Comme avant, elle copiait ses moindres faits et gestes.

— Tu vois que tu n'avais rien à craindre, dit Mamie Justine en déposant un baiser sur son front. Allez, fais de beaux rêves.

Popaul regarda sa grand-mère se glisser hors de sa chambre, sans un bruit. Alors seulement il constata qu'elle avait éteint la lampe de chevet.

Rassuré, Popaul poussa un profond soupir. Adieu les phobies! Désormais, il n'avait plus peur de l'obscurité. Il savait que, au sein des ombres de la nuit, un ange gardien veillait sur lui.

Texte de Jasmine Dubé
Illustrations de Doris Barrette

Grattelle
au bois mordant

À Sara et Léon,
et à Félix qui adore les dragons.
(J. Dubé)

À Éliane, Julien, Anthony et Alex
(D. Barrette)

Il *était une fois* un sorcier et une sorcière qui vivaient dans un vieux château peuplé de chauves-souris, de lézards et d'araignées. Ils avaient tout pour être heureux: ils étaient très vilains, leurs marmites débordaient de ragoûts infects et visqueux, et la bave de crapaud coulait à flots. Mais le sorcier et la sorcière étaient tristes parce qu'ils n'avaient pas d'enfants.

Une nuit sans lune, la sorcière mit enfin au monde une enfant qu'ils prénommèrent Grattelle. Au comble de la joie, les parents décidèrent de faire une grande fête et d'inviter tous les affreux du royaume. Six sorcières furent désignées pour être les marraines de l'enfant.

Au jour dit, les invités se présentèrent. L'atmosphère était chargée de nuages noirs, une pluie torrentielle déferlait et des éclairs zébraient le ciel, suivis de terribles coups de tonnerre. C'était magnifique!

Sur le coup de midi, alors que la fête battait son plein, les sorcières défilèrent devant le berceau de la petite Grattelle et lui jetèrent des sorts.

— Tu seras bossue et couverte de verrues poilues! dit la première.

— Tes dents seront cariées et tu mordras très fort en plus! dit la deuxième.

— Tu sentiras très mauvais et toujours on te dira «tu pues»! dit la troisième.

— Tes doigts seront tordus et griffus! dit la quatrième.

— Ton nez sera crochu et ton menton fourchu! dit la cinquième.

Au moment où la sixième sorcière allait jeter son sort, un rayon de soleil illumina le château et une odeur de rose envahit la pièce. Les sorcières se couvrirent les yeux et se pincèrent le nez, et l'une d'entre elles se cacha derrière une colonne.

La reine fée, toute belle et toute blanche, fit son entrée.

— Vous n'avez pas cru bon m'inviter et pourtant je tenais, moi aussi, à offrir un présent à l'enfant nouvellement née.

— On ne veut pas de tes cadeaux. Fous le camp!

Mais avant que les sorcières aient pu l'en empêcher, la reine fée fut près du berceau.

— Petite Grattelle, quand tu auras atteint l'âge de seize ans, tu te piqueras le doigt à une aiguille de machine à coudre et tu deviendras la plus douce, la plus jolie, la plus charmante des princesses. À la mousse toup toup lala tousse pout pout...

Elle toucha le berceau de l'enfant de sa baguette magique et une pluie de pétales de rose descendit sur elle.

— Au revoir, mes chéris! Amusez-vous bien... dit-elle en s'envolant.

Les parents étaient désespérés, les sorcières du royaume, dégoûtées. C'est à ce moment que la sixième sorcière, sortant de sa cachette, bouscula tout le monde et hurla:

— Hé! Hé! Hé! On se calme! Je n'ai toujours pas jeté mon sort, moi!

Tous les regards se tournèrent vers elle. Un noir silence envahit la salle du trône. La sorcière s'avança près du berceau, cracha par terre et dit de sa vilaine voix:

— Je ne peux pas défaire ce que la reine fée a souhaité, mais je peux le modifier. Grattelle, quand tu auras atteint l'âge de seize ans, tu te piqueras le doigt à une aiguille de machine à coudre et tu te transformeras en princesse charmante, puisqu'il doit en être ainsi. Mais, dès la nuit tombée, tu redeviendras la sorcière que tu as toujours été. À la pousse pout pout lala tousse pout pout... Hue!

Un vent alors se déchaîna, chassant du coup et les pétales de rose, et l'odeur de fleurs. Une chouette hulula au loin et les festivités reprirent.

Quelque peu rassurés, le sorcier et la sorcière ordonnèrent de détruire sur-le-champ toutes les machines à coudre du royaume sous peine de bisous et de guili-guili.

La petite Grattelle grandit en bêtise et en laideur et fit la joie de ses parents. Chaque jour, on la voyait jouer avec les vers de terre, se rouler dans la boue, patauger dans la mare. Son nez et son menton s'allongeaient et se couvraient de verrues poilues. Avec ses horribles dents pointues, elle mordait tout ce qui bougeait. Ses parents, couverts de bleus, étaient ravis: jamais on n'avait vu plus vilaine petite sorcière à des lieues à la ronde.

Le jour de ses seize ans, Grattelle jouait salement dans le marécage avec les seize crapauds qui ornaient son gâteau d'anniversaire, quand une couleuvre lui passa sous le nez. Elle voulut l'attraper pour en faire une collation, mais la couleuvre disparut rapidement sous une pierre. Grattelle poussa la roche, et quelle ne fut pas sa surprise de découvrir l'entrée d'une grotte!

Intriguée, la jeune sorcière s'avança dans le noir. Peu à peu, ses yeux s'habituèrent à l'obscurité et elle distingua, tout au fond, une sorte de table sur laquelle était posé un objet qu'elle n'avait jamais vu auparavant... une roulette, du fil, des fuseaux et une petite chose qui brillait tout au bout. Elle approcha son doigt et se piqua à l'aiguille. Elle sentit une transformation dans tout son être. Ses cheveux devinrent doux, et sa voix, et sa peau. Tout n'était plus que douceur en elle. Elle poussa un cri d'horreur et s'évanouit.

Le cri se répercuta de par tout le royaume et parvint aux oreilles de ses parents qui se précipitèrent à la grotte. Ils trouvèrent leur fille métamorphosée en princesse, près d'une machine à coudre. Ils n'arrivaient pas à croire que cette beauté parfumée était leur petite sorcière.

À la tombée du jour, Grattelle redevint la sorcière qu'on avait toujours connue, mais dès l'aurore elle reprit la forme d'une princesse. Les jours passèrent. Et les nuits aussi. Et tous les matins, Grattelle se métamorphosait en ravissante princesse et, tous les soirs, elle reprenait son allure de vilaine sorcière.

Un jour, alors que Grattelle chantait tristement près d'un marais, vint à passer un ogre à dos de dragon.

— Oh! la jolie princesse que voilà! dit-il. Allez, hop! Je t'enlève et je te mange pour mon souper.

Grattelle eut beau répliquer, crier, supplier, rien n'y fit. L'ogre l'emporta dans son château sur son dragon hideux et la jeta dans un cachot.

— Ne crains rien, ma belle, tu ne moisiras pas longtemps ici. Juste le temps de chauffer mes casseroles et je te sors de là. Et je te mange! Ha, ha, ha!

Puis, d'excellente humeur, l'ogre alluma le feu. Et tandis qu'il préparait son repas du soir, le jour achevait sa course...

Dans le cachot, près de Grattelle, dormait un troll d'une laideur sans pareille. Dès qu'elle le vit, Grattelle en tomba amoureuse. Elle l'embrassa sauvagement. Aussitôt, il se réveilla, furieux.

— Comment t'appelles-tu? lui demanda-t-elle.

— Marcel, gronda-t-il, et je déteste les baisers.

— Marcel, veux-tu m'épouser? dit Grattelle.

— Tu n'es pas mon genre et je n'aime pas beaucoup les princesses. Et, de toute façon, tu finiras dans une marmite, grommela-t-il en pointant l'ogre qui se léchait les babines.

— Fais-moi confiance, mon mignon! lui lança-t-elle juste comme l'ogre ouvrait la porte du cachot.

— C'est maintenant l'heure de ma princesse aux petits pois, chantonna l'ogre en lui montrant la marmite fumante où il venait de jeter sept boîtes de petits pois en conserve.

— Libère-moi, l'ogre, ou tu le regretteras.

L'ogre éclata d'un rire tonitruant.

— Crois-tu vraiment me faire peur, ma jolie?

— Libère-moi, te dis-je, ou c'en est fait de toi!

L'ogre rit de plus belle. Mais voilà que le soleil se couchait à l'horizon. Grattelle reprit enfin sa forme de sorcière. Elle griffa et mordit l'ogre qui demanda grâce. Mais elle n'eut aucune pitié et le jeta dans la marmite où il mijote encore à l'heure qu'il est.

Dès qu'il la vit sous son vrai jour, Marcel bondit sur ses pieds.

— Ciel, que tu es laide! Tu es la plus vilaine sorcière qu'il m'ait été donné de voir. Oh oui! je t'épouse, ma sorcière bien-aimée!

Grattelle fonça vers lui et le mordit tendrement.

Marcel et Grattelle prirent possession du château de l'ogre. Ils firent fortune en faisant l'élevage de dragons. Ils vécurent heureux et eurent de nombreux petits crapauds.

À la mousse toup toup lala tousse pout pout...

Texte de Chrystine Brouillet
Illustrations de Leanne Franson

Une chauve-souris qui pleurait d'être trop belle

Il était une fois une chauve-souris qui se prénommait Zelda. Elle était très belle. Zelda avait une fourrure douce comme de la soie et aussi blanche que la neige des hautes montagnes. Ses ailes bordées de dentelle de Bruges, les petites perles qui constellaient ses longues oreilles et les opales qui sertissaient ses griffes lui donnaient l'air d'une princesse.

Zelda s'en désolait. Elle aurait mille fois préféré ressembler aux autres chauves-souris et, quand elle se suspendait la tête en bas pour s'endormir, elle formait le souhait d'être moins jolie. Elle espérait se réveiller avec des poils bruns, gris ou noirs, sans pierres précieuses. Zelda aurait tant aimé avoir des amis, mais ses voisines se moquaient d'elle constamment.

Un jour, alors qu'on l'insultait avec encore plus de cruauté, Zelda eut tellement de peine qu'elle décida de quitter sa caverne.

Plus triste que jamais, elle fit le tour de l'endroit, très lentement, et s'envola pour ne plus revenir.

Zelda errait sans but depuis déjà fort longtemps lorsqu'elle entendit un moineau se cogner la tête contre un immeuble. Elle le vit s'écrouler et se mit à pleurer à chaudes larmes. Il pouvait lui arriver le même accident, puisqu'elle avait maintenant atteint les abords de la ville.

Pour les chauves-souris, qui préfèrent la nature où elles trouvent des fruits, des insectes et des fleurs pour se nourrir, des cavernes ou des troncs d'arbre pour se reposer, la ville représentait un grand péril.

Zelda s'était aventurée trop près des maisons. Où aller pour être enfin à l'abri? Elle était lasse... Elle n'avait pas le courage de faire vol arrière. Elle se sentait si fragile et seule qu'elle avait presque envie de mourir. Qui la regretterait? Elle n'avait ni parents ni amis.

La chauve-souris survolait les toits, les piscines, les cours et les jardins, afin de dénicher un petit coin tranquille. Mais elle pleurait tant qu'elle ne remarquait même pas les pommiers en fleurs.

Elle vit encore moins la corde à linge où séchaient des draps. Elle fonça tout droit dans une taie d'oreiller. Zelda s'agita. Si elle restait prisonnière de la taie? Elle ne pourrait plus manger de moustiques, de pucerons, d'araignées ou de libellules! Elle n'aurait jamais dû quitter sa caverne!

Affolée, elle virevoltait pour se débarrasser de la taie d'oreiller. Tout à coup, des cris la firent grincer de toutes ses dents. Des cris discordants. Elle reconnut des rires humains. Des rires méchants et méprisants.

Puis elle distingua une petite voix, douce et craintive qui répétait: «Laissez-moi tranquille, s'il vous plaît. Laissez-moi tranquille.»

Si Zelda ne connaissait pas vraiment les humains, elle devinait toutefois le chagrin, quel qu'il soit. Cet enfant avait beaucoup de peine. Il devait être aussi triste qu'elle.

— Tu es un vrai bébé, Gaspard! ricana une grosse voix.

— Je ne vous ai rien fait, répondit timidement l'enfant.

— Gaspard le têtard, Gaspard le vilain canard, tu aurais dû rester chez toi, gros lard!

Gaspard aurait bien voulu. Mais son père avait trouvé du travail dans cette ville et toute la famille avait dû le suivre.

— Tiens, il pleure, c'est un vrai bébé! répéta la vilaine voix.

Il y eut d'autres rires. Puis des hurlements stridents.

— Un... un... fantôme! Il y a un fantôme derrière Gaspard!

Zelda entendit des bruits de pas. Les enfants s'enfuyaient. Ah! si elle pouvait se libérer de sa taie d'oreiller!

Bing! Elle heurta un grand chêne. Elle ressentit un choc terrible à l'aile gauche et elle tomba au sol, évanouie.

Quand Zelda s'éveilla, une odeur agréable flottait autour d'elle. Elle ouvrit les yeux, vit le ciel, la dentelle que dessinaient les feuilles des arbres à contre-jour. Et elle aperçut, assis près d'elle, un enfant qui la regardait avec inquiétude. Zelda voyait même une larme toute ronde qui roulait sur son nez.

Gaspard lui chantait une berceuse pour la rassurer. Il avait amassé un petit tas de mousse pour lui faire un coussin où il l'avait déposée. C'était si moelleux!

— N'aie pas peur, petite chauve-souris. Je ne suis pas méchant. Je ne te ferai aucun mal.

Zelda battit des ailes pour montrer qu'elle comprenait Gaspard. Elle ne pouvait pas se tromper sur la douceur de sa voix.

Il lui répétait qu'elle était si belle qu'à côté d'elle la lune manquait d'éclat.

— Ton ventre soyeux est si blanc, tes ailes tellement délicates! Tu es une vraie merveille. Les autres enfants sont stupides d'avoir cru que tu étais un fantôme!

Et Gaspard installa Zelda sur son épaule pour se diriger vers l'étang du parc.

— On ne dira jamais la vérité aux autres, poursuivait Gaspard. Ils penseront qu'un fantôme me protège. Tu verras, je prendrai bien soin de toi. J'étais si seul avant de te rencontrer...

Soudain, un bruit horrible fit frissonner Zelda d'un bout à l'autre de ses ailes. Une ombre gigantesque s'approchait d'elle et de Gaspard à toute vitesse.

Un grand duc!

Le rapace voulait sûrement la dévorer! Zelda frémit en pensant aux serres implacables de l'oiseau de proie. Affolée, elle voulut s'envoler pour se cacher, mais elle piqua du nez, rasa le sol et sentit les ailes du grand duc effleurer son dos. Elle devait sauver sa peau!

Zelda eut tout juste le temps de se glisser entre les branches touffues d'une épinette bleue pour échapper au prédateur. Elle écouta un long moment les ululements de colère du grand duc. Déçu, il repartit sans l'avoir repérée.

Zelda sortit de sa cachette, désemparée, découragée... Elle ne voyait plus Gaspard; elle avait perdu son ami.

Gaspard avait couru pour chasser le grand duc qui faisait peur à la belle Zelda. Mais maintenant, où était-elle? Il était très inquiet; elle était si petite et fragile. Elle avait besoin de lui!

Gaspard alla à l'étang en espérant que Zelda s'y rende pour manger quelques moustiques. C'est alors qu'un coassement le fit sursauter: un énorme crapaud sautait d'un nénuphar à un autre pour se rapprocher d'une petite fille qui l'attendait sur le bord de l'eau.

— C'est Bruno, mon gros crapaud, je l'adore! Il est drôle! Il crie si fort! Je m'appelle Eulalie, et toi?

— Gaspard. Je cherche mon amie Zelda, une jolie chauve-souris.

— Nous allons t'aider! Bruno va l'appeler de sa voix de stentor.

Le beau crapaud à pois jaunes et aux yeux dorés méritait sa réputation. Sa voix retentit et se prolongea dans un écho formidable: Zelda... Zelda... Zelda...

Zelda poussa un long soupir de soulagement en entendant les coassements. Elle vola très vite pour répondre à son appel. Quand elle aperçut Gaspard qui l'attendait au bord de l'étang, elle pensa qu'elle n'avait jamais été aussi heureuse.

Le garçon souriait en regardant le crapaud qui clapotait dans l'étang pour amuser une petite fille aux longues tresses blondes. Zelda tourbillonna au-dessus de l'eau avant de se poser sur l'épaule de Gaspard et de se blottir dans son cou.

Gaspard, Zelda, Eulalie et Bruno restèrent longtemps ensemble, heureux, très heureux, à écouter l'étang frissonner sous la caresse du vent.

Texte de Sonia Sarfati
Illustrations de Caroline Merola

Le crocodile qui croquait les cauchemars

À Lou Victor,
petit garçon qui dort avec
«un chien qui n'est pas un chat».

Il était une fois une petite fille nommée Lysandre qui avait une famille vraiment pas comme les autres. Son papa était chercheur d'or et sa maman, gardienne de zoo.

Mais le membre le plus étrange de ce foyer restait le toutou de Lysandre. Au lieu d'avoir un chien appelé Fido, un chat appelé Minou ou un perroquet appelé Coco, la petite fille possédait un crocodile baptisé Croque-Tout.

Un vrai crocodile aux yeux dorés, à longue queue et à peau rugueuse. Un vrai crocodile à grande gueule et à longues dents.

Lysandre aimait Croque-Tout pour ces incisives tranchantes, ces canines pointues et ces molaires coupantes. Car la petite fille, elle, n'avait que peu de dents.

Non qu'elle fût un bébé encore édenté, mais parce qu'il y avait eu l'accident. L'accident survenu longtemps auparavant, à une époque où Lysandre était encore une très petite fille.

Ce jour-là, lors d'une visite au zoo où travaillait sa mère, Lysandre trébucha devant la cage des lions. Sa tête heurta un muret de ciment. Quand elle se releva, les quatre incisives bien blanches qui lui faisaient un beau sourire restèrent par terre.

Le papa de la petite fille l'embrassa et la consola. Mais il ne put réparer ses dents. Pas plus que le dentiste, l'infirmière ou le médecin.

La maman de Lysandre expliqua à sa fille que, lorsqu'elle aurait sept ou huit ans, ou peut-être avant, de nouvelles dents remplaceraient les dents de bébé qu'elle venait de perdre.

La petite fille demanda dans combien de dodos elle aurait sept ou huit ans. «Trop de dodos pour qu'on puisse les compter», répondit doucement sa mère.

Ce qui signifiait beaucoup de dodos. Et ça, c'était trop long. Lysandre, qui n'était pas très patiente, décida donc de s'occuper elle-même de ses dents.

Elle tenta de recoller ses incisives avec de la gomme à mâcher. Cela fonctionna très bien pour boire du jus et manger de la purée, mais pas du tout pour mordre dans les pommes et croquer les noix de coco.

Lysandre voulut ensuite se fabriquer des dents en or et réclama des pépites à son papa. Après tout, les filles de libraire ont plein de livres, les filles de cordonnier ont plein de souliers, les filles de professeur ont plein de devoirs. Les filles de chasseur de trésors devraient donc posséder plein de pierres précieuses, non?

Le père de Lysandre lui offrit alors un sac de pépites d'or. La petite fille comprit ainsi que les trésors de son papa ressemblaient plus à des cailloux gris qu'à des bijoux dorés. Quelles horribles dents cela aurait fait!

Très déçue, la petite fille plaça ses dents sous l'oreiller en espérant que la souris lui apporte un dentier. Elle se mit aussi à barrer sur un calendrier les jours qui la séparaient de ses sept ou huit ans et de ses nouvelles dents.

Et, surtout, elle commença à bouder quand il lui fallait accompagner sa mère au zoo. «Ça lui rappelle l'accident», pensaient ses parents.

Ils se trompaient. C'était à cause de la grande moquerie des animaux.

Lysandre s'était en effet aperçue que, depuis l'accident, les tigres retroussaient les babines sur son passage, les éléphants dressaient leurs défenses quand elle arrivait près de l'enclos et les hippopotames ouvraient grand la gueule lorsqu'elle longeait le bassin.

Tout le monde croyait que les tigres lui souriaient, que les éléphants la saluaient et que les hippopotames bâillaient. Seule Lysandre savait qu'en fait les bêtes se moquaient d'elle. Parce qu'elle avait perdu ses dents et qu'eux en avaient des dizaines. Et même des centaines. Ou, peut-être, des milliers.

Cela mettait la petite fille dans une colère terrible qui, la nuit venue, se transformait en cauchemars. Et Lysandre se mit à refuser d'aller au lit.

Jusqu'au jour où son papa revint de la chasse aux trésors avec le plus extraordinaire de tous les cadeaux: Croque-Tout, le petit crocodile qui possédait bien assez de dents pour deux!

Lysandre le serra contre son coeur. Elle lui montra son sourire édenté et elle lui parla de la grande moquerie des animaux. Puis, elle lui promit de toujours le garder auprès d'elle et de ne jamais le faire enfermer au zoo de sa maman.

Rassuré, Croque-Tout, qui n'aimait pas les cages et leurs barreaux, s'installa dans la chambre de la petite fille et lui raconta ses mésaventures.

Jadis, il habitait une rivière qui coulait loin, très loin de chez Lysandre. Un matin, il se leva avec l'envie de faire une promenade. Il marcha sur le sable pendant longtemps. Pendant si longtemps que, sans s'en rendre compte, il quitta la plage et entra dans le désert!

Lorsqu'il s'en aperçut, il s'inquiéta un peu, mais pas trop. Et plutôt que de rentrer chez lui, sa balade l'ayant épuisé, il s'installa pour faire une sieste. C'était un crocodile bien insouciant que celui-là.

Le père de la petite fille le découvrit quelques jours plus tard, pas très loin de sa tente, à moitié recouvert de sable. Il ramassa le crocodile dont le corps avait rétréci à cause de la chaleur et du manque d'eau. Ses dents avaient, par contre, conservé la même taille.

Une telle dentition aurait permis à n'importe qui de croquer n'importe quoi. Cette nuit-là, au pied du lit de Lysandre, Croque-Tout ne fit qu'une bouchée des cauchemars de la petite fille.

Le lendemain, Lysandre étonna sa maman en la suppliant de l'emmener au zoo. Avec le petit crocodile, bien sûr.

Sur leur passage, les tigres ne rugirent pas et les éléphants baissèrent la tête. Quant aux hippopotames, la petite fille ne les avait jamais vus aussi réveillés: ils ne bâillèrent pas une fois. Les seules dents qui paradèrent au zoo ce jour-là furent celles de Croque-Tout.

La grande moquerie des animaux était finie.

Le petit crocodile accompagna ensuite Lysandre partout où elle allait.

À l'école, où Croque-Tout dut apprivoiser la maîtresse pour qu'elle n'ait pas peur de lui. Dans les magasins, où Lysandre dut expliquer aux commerçants qu'elle ne faisait pas un hold-up au crocodile. Sur les pistes de ski, où Croque-Tout servit parfois de luge à son amie. Et à la piscine, ce drôle de lac que le petit crocodile n'aimait pas beaucoup, car l'eau y était trop propre.

Puis, le soir venu, Croque-Tout reprenait sa place au pied du lit de Lysandre.

Il y dormit pendant trop de dodos pour qu'on puisse les compter. La petite fille se transforma ainsi en une grande demoiselle au sourire éblouissant. Tandis que le petit crocodile aux longues dents, lui, devenait un vieux crocodile à gueule dégarnie.

Alors, à présent, quand Lysandre se rend au zoo avec Croque-Tout, devinez qui protège qui de la grande moquerie des tigres, des éléphants et des hippopotames?

Texte de Raymond Plante
Illustrations de Marie-Claude Favreau

Une Barbouillée
qui avait perdu son nez

Il était une fois un clown qui s'appelait Babadou.

Tous les mardis, à la télévision, il racontait des histoires pleines de drôles d'animaux. Babadou était célèbre pour ses marionnettes. Entre ses mains, les bêtes devenaient des clowns très marrants.

Savatte, la chatte, avait des roulettes aux pattes. Pépin, le chien, jonglait avec des raisins. Les piquants de Frisson, le hérisson, étaient en tire-bouchon.

Un jour, Babadou amena sa fille, Barbouillée, dans son studio de télévision.

Toute la journée, Barbouillée mit son nez partout.

Elle aboya dans un microphone. Elle glissa une peau de banane sous les pieds d'un caméraman. Elle dessina même des souris sur un décor.

Ses talents de comique firent rigoler les techniciens. Mais ces braves gens furent soulagés quand, à la fin de l'après-midi, Barbouillée et son père partirent enfin.

Après une telle journée, la gamine était tellement fatiguée qu'elle s'endormit dans la voiture de Babadou.

À leur arrivée à la maison, Bagatelle, la mère de Barbouillée, s'aperçut que sa fille avait égaré son nez.

Catastrophe! Pour un clown, perdre son nez est un grand malheur. Il risque alors de ne plus réussir ses tours.

C'est connu, un clown est drôle quand il reçoit des seaux d'eau sur la tête, quand il attrape des tartes à la crème en pleine figure, quand il tombe sur le derrière en faisant badaboum.

Mais, sans son nez, un clown n'est plus rigolo.

L'eau ne le mouille plus, la crème des tartes goûte la moutarde et ses maladresses ne se terminent plus par un badaboum retentissant.

Un tel clown devient triste à pleurer.

C'est pour cette raison que Barbouillée se mit à pleurer à chaudes larmes dans les bras de sa maman. En moins d'une minute, Bagatelle fut complètement détrempée.

La situation était grave.

Devant tant de peine, Babadou décida:

— Tu as dû perdre ton nez dans la voiture!

Il sortit sans oublier de se cogner contre la porte et de s'y écraser le nez. Ce tour fit rigoler sa fille qui en avait grandement besoin.

Babadou plongea tête première dans son automobile.

Pas de nez.

— Je retourne aux studios de télévision, cria-t-il.

Là-bas, une vive déception attendait Babadou.

Les machinistes avaient démonté son décor. À la place, ils avaient installé celui de l'émission d'informations. Un décor très sérieux.

Comment y retrouver le petit nez de Barbouillée?

«En imitant les chiens de chasse!» imagina Babadou.

Pour éviter l'oeil de la caméra, le clown s'avança délicatement, flairant le sol, le derrière relevé.

L'animatrice lisait une mauvaise nouvelle. Soudain, des fesses en forme de ballon de plage apparurent devant elle. Elle s'étouffa aussitôt.

Babadou, lui, se redressa pour lui frotter le dos. Alors tous les téléspectateurs l'aperçurent.

— Cessez de faire le clown, toussota la lectrice.

— Oh! Madame! répondit Babadou, vous qui connaissez toutes les nouvelles du monde, vous n'auriez pas entendu parler du nez de ma fille?

— Ce n'est pas le moment de rire, monsieur le comique. J'ai des nouvelles à lire, moi.

— C'est la plus mauvaise de toutes vos mauvaises nouvelles, se désola Babadou.

Il sortit en se mouchant dans son grand mouchoir à carreaux pour cacher sa tristesse.

Dans le studio voisin, un orchestre enregistrait un concert. Parmi les musiciens, un violoncelliste au nez volumineux inspira confiance à Babadou.

— Cet homme ressemble à mon grand-père, murmura le clown. Il va me renseigner. Mais cette fois, je ne dérangerai personne.

Il prit son accordéon et le serra contre sa poitrine pour se glisser incognito parmi les instrumentistes.

Mais la musique était triste. Si triste que le coeur de Babadou chavira.

Lorsqu'il voulut reprendre son mouchoir, un bout de son accordéon lui glissa des mains. L'instrument s'étira tel un véritable escalier et ses notes se répandirent partout.

Horrifié, le chef brisa sa baguette. Il hurla d'une voix de ténor:

— Au secours! Ma belle symphonie de Mozart est gâchée!

Son accordéon sur le dos, Babadou prit la poudre d'escampette en répétant:

— Mozart comprendrait, lui, que je cherche le nez de Barbouillée.

À la maison, Barbouillée et sa mère regardaient la télévision, blotties l'une contre l'autre. Bagatelle semait des bisous dans les cheveux de sa fille. C'était très consolant.

À l'écran, elles virent deux agents de sécurité se lancer à la poursuite de Babadou. Elles se mirent à encourager le clown qui trouva le moyen d'échapper aux deux balourds.

— Dans quelle émission ton père apparaîtra-t-il encore? demanda Bagatelle.

— Tu penses que c'est comme ça que papa va retrouver mon nez? questionna Barbouillée.

Un petit nuage vint s'installer dans le regard de sa mère.

— Tout ce que je souhaite, c'est qu'il ne perde pas le sien, répondit Bagatelle.

En courant de toutes ses forces, le clown revint dans le studio des nouvelles.

Devant un tableau compliqué, la météorologue annonçait des jours de temps gris.

— Eh bien, moi, j'arrive au mauvais moment, dit Babadou.

Pour se faire pardonner, il sourit à la caméra.

Puis il ouvrit son parapluie.

Il se mit à pleuvoir une tonne de confettis aussi légers que des plumes.

— Pour vous changer de la pluie, ajouta-t-il pour consoler la météorologue qui s'apprêtait à éternuer.

Comment aurait-il pu deviner que cette fille était allergique aux plumes?

— Vous n'auriez pas vu un petit nez de clown, par hasard?

Babadou n'entendit qu'une seule réponse:

— Atchoum! Atchoum! Et... atchoum!

Aussitôt, un premier agent de sécurité l'attrapa par le collet.

— Babadou! Pourquoi semez-vous la pagaille partout? grogna l'homme.

— Depuis quand dérangez-vous tout le monde? ajouta l'autre agent en le saisissant par le fond de sa culotte.

— Vous vous trompez d'émission! hurlèrent les deux costauds.

S'adressant à la caméra, Babadou voulut rassurer sa fille et les tout-petits qui aimaient ses aventures:

— À mardi prochain, les amis. Je vous raconterai l'histoire du renard qui...

Il n'eut pas le temps de terminer sa phrase. Les hommes l'entraînèrent vers la porte arrière.

— Revenez mardi prochain, crièrent-ils en le projetant dans la ruelle.

Babadou culbuta trois fois. Il atterrit sur les fesses.

Dans la ruelle, Babadou était triste comme une pluie de deux tonnes de confettis mouillés. Il avait le coeur en accordéon.

«Comment vais-je annoncer à Barbouillée que son nez est introuvable?»

Avec son gros soulier, il donna un coup de pied sur une boîte de conserve. La boîte rebondit directement dans une poubelle.

En levant les yeux, le clown aperçut une lumière rouge, toute petite. Une sorte d'étoile. Il s'approcha lentement. Entre deux poubelles, un clochard souriait.

C'était un ancien acrobate que Babadou avait connu dans un cirque oublié. Sur le bout de son doigt, le bonhomme faisait briller le nez de Barbouillée.

— J'ai cru que c'était une balle crevée, souffla l'homme.

Babadou cherchait ses mots. Le clochard poursuivit:

— Mais je suis du métier. Je savais bien qu'il y avait dans ce nez la carrière d'un jeune clown.

— La carrière de ma fille, oui! renchérit Babadou.

Reconnaissant, Babadou invita le vieil acrobate à la maison.

— Est-ce qu'il y aura de la tarte à la crème? questionna le vagabond en se léchant les babines.

— Bien sûr. Si vous mangez toute votre assiette, vous en aurez... au dessert.

C'est ainsi que, ce soir-là, Babadou, Bagatelle et leur fille reçurent un invité-surprise. Les clowns adorent les surprises.

Et, à la fin du repas, Barbouillée eut le plaisir de lancer une tarte à la crème. Le clochard la reçut en pleine figure.

Pour cet ancien artiste de cirque, rien n'était plus délicieux.

Tout le monde fut éclaboussé. Barbouillée en avait jusque sur le bout du nez.

Texte de Marie-Danielle Croteau
Illustrations de Christiane Beauregard

La petite fille
qui voulait être roi

Pour Monique et Lorraine qui liront
cette histoire à leurs petits-enfants.

Il était une fois une petite fille qui voulait être roi.

— Être roi? demandait distraitement sa mère. Quelle drôle d'idée!

Et elle retournait à ses moutons. Elle était bergère. Contrairement à sa fille, elle ne regardait jamais du côté du château.

Depuis que le prince avait été couronné, un an plus tôt, le palais avait perdu toute sa magie. Ses hautes tours blanches et carrées n'égayaient plus le ciel, les jours de pluie. Ses murs étaient devenus gris, à force de n'être pas lavés. Ses grandes portes en bois ne s'ouvraient plus, le samedi, pour les habitants du pays. Le pont-levis ne s'abaissait que rarement, et seulement pour laisser entrer quelques marchands. On disait aussi que les jardins, autrefois superbes, étaient délaissés, et que les fontaines avaient fini par s'assécher.

— Quel gâchis! s'indignait la fille de la bergère. Ce petit prince à la noix ne fait pas un bien grand roi. Moi, si j'étais à sa place, ça ne marcherait pas comme ça!

Dans les chaumières, on racontait que le nouveau roi, qui était encore un enfant, souffrait d'un mal étrange. Il passait ses journées à la fenêtre, les yeux tournés vers les prés. Ses conseillers, ses médecins, ses valets, la cour au complet tentait de le raisonner. Hélas! Le petit roi ne voulait pas régner. Il ne voulait ni faire la guerre ni diriger les affaires du pays. Ce qu'il souhaitait, au fond de lui, c'était jouer là-bas, avec la fille de la bergère. Il la voyait, du matin au soir, courir, sauter, grimper aux arbres, chasser les papillons, cueillir des fruits et s'en gaver, assise au pied d'un peuplier. Il l'entendait chanter à tue-tête et lorsqu'il n'entendait plus rien, c'était qu'elle se reposait, à l'ombre d'un grand chêne ou sous un petit pont. Quand elle avait trop chaud, elle se jetait à l'eau sans se déshabiller. Ensuite, elle se laissait sécher au soleil, en grignotant quelques groseilles.

«Quelle vie merveilleuse!» pensait le petit roi.

Mais il se taisait. Les rois ne doivent pas dire ces choses-là. Ils ne rêvent pas, ne jouent pas, n'ont pas de secret. C'est ce qu'on lui avait appris depuis qu'il était tout petit.

— Ah! Si j'étais roi! répétait sans cesse la petite fille à sa mère. Je ferais de mon pays un véritable paradis!

— Allons donc, ma mie! Tu rêves! répondait la bergère. Gouverner, ce n'est pas un joli métier. Lever des armées. Faire la guerre. Pouah! Tu es cent fois mieux dans le pré qu'un roi dans son château. Tu es libre! Pas lui!

Rien, toutefois, ne parvenait à décourager la petite fille. Elle mourait d'envie d'aller au palais. De repérer les quartiers du roi, de s'y infiltrer et de parler avec Sa Majesté.

— Il suffirait de nous déguiser en marchandes, insistait-elle, tandis que sa mère poursuivait son travail au rouet.

— Vas-y, toi, puisque tu y tiens tant! s'impatienta un jour la bergère qui filait un mauvais coton.

La petite fille ne se le fit pas dire deux fois. Elle entrerait au château, décida-t-elle, et elle irait voir le roi. Par n'importe quel moyen. Se déguiser en marchande était certes une solution. Mais il y avait plus amusant. Le lendemain, elle partit en sifflant, un cordage à l'épaule, un grappin à la main et ses deux chiens sur les talons. Rendue au château, elle noua le grappin à la corde et le lança entre les créneaux du chemin de ronde.

La petite fille escalada le mur et se retrouva nez à nez avec un soldat.

— Que fais-tu là? demanda-t-il en colère.

— Je suis la fille de la bergère, répondit la petite fille qui avait tout de même un peu peur. Je viens voir le roi. Je serais bien passée par le pont-levis, comme il se doit, mais quelle tristesse: il n'est jamais baissé!

— C'est juste, approuva le soldat. Il regrettait, lui aussi, les samedis d'autrefois, quand les habitants du bourg étaient invités à la cour. Plus personne ne le voyait, désormais, parader dans ses beaux atours.

— Et pourquoi, reprit-il, veux-tu rencontrer le roi?

— Secret d'État, chuchota la petite fille en mettant un doigt devant sa bouche. Je n'ai pas le droit d'en parler.

Le soldat repoussa son heaume et se gratta la tête. «Secret d'État», il avait déjà entendu ces mots-là dans le royaume. Il savait que c'était important. Il savait que les rois ont des espions et que ces gens-là se déguisent n'importe comment. Il indiqua donc à la petite fille le chemin le plus court et le plus sûr pour se rendre chez le souverain.

En deux temps trois mouvements, la petite fille arriva chez le roi. Elle se fraya un chemin parmi les conseillers, les valets, les écuyers, et vint se poster au chevet de Sa Majesté qui la reconnut aussitôt.

— Le roi sourit, chuchotèrent les courtisans.

C'était un événement extraordinaire: il n'avait pas souri depuis son couronnement.

Le roi se dressa sur son séant et renvoya la cour. Il y eut quelques murmures dans l'assemblée, quelques mots de protestation, mais on n'avait pas le choix. Un roi est un roi, qu'il soit grand ou petit. Il faut lui obéir.

Les courtisans partirent et le roi se retrouva seul avec son invitée.

— Plairait-il à Votre Majesté de jouer? proposa cette dernière.

— À quoi? demanda le roi.

— Au roi, répondit la petite bergère.

— Très bien, approuva Sa Majesté. À la condition que tu sois le roi. Moi, je serai toi.

Ils échangèrent leurs habits.

— Et maintenant? interrogea le roi.

— Prenez la clef des champs, Sire! Occupez-vous de mes moutons, je m'occuperai des vôtres.

Le petit roi fit à rebours le chemin parcouru par la fille de la bergère. Dès qu'il mit le pied dans le pré, il commença à courir. Il était fou de joie! Il ne cessait de se répéter:

— Je suis libre! Je me suis évadé!

Enfin, il s'écroula dans l'herbe, épuisé, et resta là un temps infini, à se demander ce qu'il pourrait bien faire. Comme il n'avait pas l'habitude de jouer, il imita la petite bergère. Il grimpa d'abord à un arbre, mais paf! il tomba sur le derrière. Il se releva, un peu sonné, et chercha une autre activité. À quelques pas de là se trouvait un cerisier. Il décida de goûter ses fruits. Il n'avait pas fini de les avaler qu'un vilain mal de ventre le saisit. «Qu'on m'amène le seau!» voulut-il crier, mais il se rappela qu'il n'était pas chez lui et qu'ici, il n'y avait aucun valet. Il se précipita à la rivière, se laissa glisser dans le courant et attendit que son mal s'échappe, sous forme d'un vent, autrement dit d'un pet.

Soulagé mais affaibli, il regagna la rive et se hissa hors de l'eau. Puis il revint vers la bergerie en se traînant les pieds.

C'est alors que la bergère, le voyant de loin et ignorant à qui elle avait affaire, cria:

— Assez joué, ma mie! Il est temps de fabriquer un abri pour le bois. Je te l'ai demandé des dizaines de fois, alors cela suffit. Tu obéis tout de suite, ou tu es punie: choisis!

Le petit roi allait piquer une grande colère quand il se souvint qu'il n'était pas lui, mais la fille de la bergère.

— Oui maman, grommela-t-il entre ses dents.

Il se dirigea vers l'arrière de la bergerie, là où était entassé le bois de cheminée. Faire un abri… comment? Il n'en avait aucune idée. Il n'avait jamais rien construit. Il se mit néanmoins à la tâche, utilisant les planches et les madriers qui traînaient çà et là. Tout en travaillant, il songeait que la vie de son amie, la petite bergère, n'était peut-être pas aussi parfaite qu'elle en avait l'air.

Quelques heures plus tard, l'abri était terminé et le petit roi, tout courbaturé. Il s'assit sur une pierre pour se reposer et tomba endormi. Il rêvait de son lit à baldaquin, de ses tapis, si doux sous les pieds, de ses rideaux de satin et de ses pyjamas en soie quand une voix, venue de loin, le réveilla. C'était la bergère qui l'appelait: il était temps de faire rentrer les moutons.

Il sauta sur ses pieds. Enfin quelque chose d'amusant! Depuis sa fenêtre, il avait vu des dizaines de fois son amie, à la fin du jour, parcourir le pré sans se presser. Les moutons venaient vers elle en gambadant et la suivaient jusqu'à la bergerie. À son tour, maintenant. Il saisit une gerbe de blé et l'égraina, puis appela à tue-tête: «Petits, petits, petits!» comme si les moutons étaient des oiseaux. Aucune bête ne bougea. Il essaya une autre fois; même résultat.

De son côté, la fille de la bergère régnait. Elle avait renvoyé les conseillers, les valets et les écuyers qui encombraient les couloirs du palais. Elle avait ordonné que l'on nettoie les jardins et que l'on prépare, pour le soir même, un repas du tonnerre. Six cents poulets rôtis. Cinquante cochons braisés. Mille gâteaux à la crème, et autant d'éclairs au chocolat. À présent, elle se reposait.

On frappa à sa porte.

— Qui va là? hurla-t-elle.

Le ministre des Finances entra. Il tremblait de peur. Ne murmurait-on pas, dans les corridors, que le petit roi était devenu fou? Il était en train de vider le trésor et pour faire quoi? Un festin populaire! Monsieur le ministre était rouge d'indignation. Mais comme il était terrifié, il fixait ses souliers. Aussi ne vit-il pas que dans le grand lit à baldaquin siégeait une petite fille et non le roi.

— Parlez! aboya la fille de la bergère.

«Oh là là! pensa le ministre. Sa Majesté est vraiment en colère!» Alors il n'osa pas aborder le sujet pour lequel il était venu. Il se contenta de bégayer:

— C'est que… euh… les pétards, Majesté. Ils sont un peu mouillés. Ils ne vont peut-être pas éclater.

— Eh bien! Faites-les sécher!

Le ministre sortit en s'excusant. «Quel idiot, pensa la petite fille. Déranger le roi pour si peu!»

En quelques heures, la fille de la bergère vit défiler davantage de ministres qu'elle n'en pouvait compter. Plus la journée avançait et plus Sa Majesté était dégoûtée. Ces discours, ces perruques, ces courbettes lui donnaient mal à la tête. Elle se leva et s'en fut regarder à la fenêtre. De là-haut, elle voyait les vallons, les prés et la bergerie avec son toit incliné. Tellement plus pauvre que le château, mais tellement plus gaie! Déjà, tout cela lui manquait…

Soudain, elle aperçut le petit roi. Le pauvre! Il n'arrivait pas à rassembler le troupeau! Elle siffla, elle aurait voulu lui montrer comment faire, mais il ne l'entendait pas. Elle le vit lever les bras en l'air et les laisser retomber. Il était vraiment découragé. Il essaya encore un peu, puis il tourna les talons et revint au château en maudissant ces moutons, si bêtes, plus difficiles à diriger qu'un pays.

Le petit roi et la fille de la bergère furent soulagés, l'un et l'autre, de reprendre leurs habits.

— N'empêche, dit le roi, je me suis bien amusé. Et vous, ma mie?

— Sans doute, Majesté! Sans doute…

— Comment sont les affaires de l'État?

— Euh… en bon état, je crois.

La petite fille tendit au roi une montagne de documents, les uns tachés de chocolat, les autres légèrement froissés.

— Hum… dit-il en fronçant les sourcils. Chacun son métier!

Au même instant retentirent les cors de l'armée.

— Qu'est cela? s'inquiéta le petit roi. La guerre?

— Non point, Majesté, répondit la fille de la bergère. Nous avons aboli l'armée. Nous avons rouvert les portes du château et fait abaisser le pont-levis.

Elle marqua un temps d'arrêt, se racla la gorge et annonça, haut et clair:

— Nous avons rétabli les fêtes populaires!

Le souverain alla à la fenêtre et constata que son peuple envahissait le palais en chantant et en criant: «Vive le roi!»

Alors le petit roi se sentit heureux. Il se tourna vers son amie: elle avait disparu. Il regarda dehors et la vit, qui s'éloignait dans le pré, ses deux chiens noirs sur les talons. Elle s'arrêta, coupa un long brin d'herbe, le plaça entre ses pouces, le porta à sa bouche et siffla.

Tous les moutons, les noirs comme les blancs, accoururent en gambadant et la suivirent jusqu'à la bergerie.

«Chacun son métier!» pensa le roi en souriant.

Il redressa sa couronne et descendit le grand escalier du palais.

En bas, son peuple l'attendait.

Texte de Raymond Plante
Illustrations de Leanne Franson

La curieuse invasion de Picots-les-Bains par les zèbres

*Pour la petite Claire
qui, dans sa Corrèze natale,
n'a pas besoin de zèbres
pour annoncer le printemps.*

Il était une fois, à la fin d'un hiver, une petite ville de rien du tout. Elle s'appelait Picots-les-Bains.

Dans la rue principale, il y avait une station-service, une épicerie, une boulangerie, un restaurant et une boutique de vêtements. D'autres maisons s'éparpillaient autour. Des demeures où vivaient des enfants et des parents.

Il y avait enfin une maison au toit orangé, entourée d'un jardin. C'est là qu'habitait Victor Olivier, un petit garçon aux yeux marron. C'est lui qui vit le premier zèbre.

Dès son lever, ce matin-là, Victor mit le nez à la fenêtre.

À cet instant, il aperçut l'animal rayé. Ce cheval, dont la robe ressemblait au pyjama de Victor, mangeait une petite plaque de neige qui n'avait pas encore fondu. Cela aurait pu être du nougat ou de la crème glacée.

Un zèbre qui mange de la neige! Le garçon pensa que, comme lui, l'animal devait avoir hâte au printemps.

Victor se rendit à la cuisine et avala ses
céréales. Puis, juste avant de quitter la maison,
il dit à Victoria, sa maman:

— J'ai vu un zèbre.

Victoria, qui était dessinatrice de maillots
de bain, aimait beaucoup les zèbres. D'ailleurs,
toutes ses créations empruntaient les rayures
de l'animal.

— Il était dans un livre? s'informa-t-elle.

L'enfant ouvrit la porte. Dans le jardin,
il n'y avait plus de neige.

— Il a mangé ce qui restait de neige.

La mère sourit. Elle embrassa son fils.

— Victor, tu es un grand rêveur. Les zèbres
ne vivent pas par ici. Bonne journée.

— Mais je l'ai vu.

— C'est impossible.

La porte se referma. Le garçon aux yeux
marron fureta un peu dans le jardin. Le zèbre
avait disparu.

Quelques minutes plus tard, il monta
dans l'autobus jaune. Pendant le trajet, aucun
de ses copains ne glissa un mot sur la visite
d'un animal.

Au moment de descendre devant l'école,
Victor souffla au chauffeur:

— Ce matin, j'ai vu un zèbre.

Monsieur Duvirage rit de bon coeur. Il aimait
la vie. Il adorait les rêveurs.

— Ha, ha, ha! répondit-il en tapotant son
volant. Un zèbre! Moi, j'ai vu un piano en
culotte.

— Un piano en culotte? répéta Victor.

— Ça n'existe pas, monsieur le rêveur,
reprit l'homme. Pas plus que ton zèbre.

Victor descendit de l'autobus. Le rire du
chauffeur se transforma peu à peu en un
hennissement bizarre.

Le dernier enfant à quitter le véhicule s'appelait Bernard Lefort. Ce garnement fut le seul à se rendre compte que le conducteur s'était métamorphosé en zèbre.

Le malheur de Bernard, c'est qu'il était un joyeux menteur. Il rejoignit Victor.

— Tu as vu, monsieur Duvirage est devenu un zèbre, lui dit-il.

— Ah bon! répondit Victor. C'est peut-être lui qui a mangé la neige.

Bernard n'ajouta rien. Il courut vers le bureau de la directrice de l'école.

— Qu'est-ce qui t'amène? demanda Carmen Dudomaine.

— L'autobus scolaire, bredouilla Bernard. Le chauffeur est un zèbre.

Carmen secoua la tête.

— Un jour, Bernard, j'aimerais bien que tu cesses de raconter des blagues. Elles ne sont pas drôles. Réfléchis avant de parler. Monsieur Duvirage, un zèbre. Allons donc!

Le téléphone sonna. Au moment même où la directrice décrocha, elle se transforma en zèbre sous les yeux du blagueur.

Pendant ce temps-là, dans la classe de Bernard et de Victor, Claire Tatou arrosait les géraniums posés sur le bord de la fenêtre.

À la grande surprise de la petite fille, elle vit un zèbre qui grignotait un reste de neige. L'animal lui sourit, ouvrit la fenêtre, goba un géranium et disparut.

Géraldine Lépine, l'enseignante, arriva aussitôt.

— Oh! Claire! s'écria-t-elle en voyant le pot vide. Que s'est-il passé?

— Ce n'est pas ma faute, se défendit Claire.

Quoi qu'il arrive, Claire Tatou répétait inlassablement que ce n'était pas sa faute. Rien n'était sa faute.

— Et c'est la faute de qui? s'enquit Géraldine, qui la connaissait bien.

— C'est le zèbre. Il a mangé le géranium en un coup de dents.

— Tu inventes n'importe quoi, soupira Géraldine. Un zèbre ici, c'est impossible.

Aussitôt, l'enseignante ressentit des picotements bizarres. Deux secondes plus tard, elle était un zèbre.

Claire Tatou claironna:

— Ce n'est pas ma faute.

Les élèves de la classe la crurent. Et l'avant-midi se déroula sans problème. Géraldine Lépine, sous sa forme nouvelle, zézayait un peu, mais elle enseignait toujours aussi bien.

À la récréation, Loulou Papillon courut vers le fond de la cour de l'école. Dans la rue, un policier donnait une contravention à une voiture garée au mauvais endroit.

— Monsieur l'agent, cria Loulou, notre professeure est devenue un zèbre.

L'agent Oscar Picard connaissait très bien Loulou Papillon. C'était une incroyable joueuse de tours. Elle s'amusait à dessiner des moustaches sur les affiches.

— Répète cela et je te coffre dans le panier à salade.

— Vous ne me croyez pas? argumenta l'espiègle.

— Non, Loulou. Je ne te crois pas.

Oscar Picard se métamorphosa instantanément en un zèbre policier. Il était beau à voir avec sa casquette et son uniforme. Il enfourcha sa moto et démarra. Les enfants, rassemblés, rirent de bon coeur.

À midi, les Picotins — c'est ainsi que l'on appelle les habitants de Picots-les-Bains — se rencontraient dans les différents commerces de la ville.

À la station-service, le pompiste remplit d'essence le réservoir de l'autobus scolaire. Lorsqu'il constata que le chauffeur était un zèbre, il secoua la tête:

— A-t-on idée de se déguiser pour amuser les jeunes passagers?

Il lui arriva ce que vous devinez.

À l'épicerie, Carmen Dudomaine, la directrice de l'école, salua les Picotins avec son sourire de zèbre.

De la vitrine du restaurant, les clients attablés aperçurent l'agent Picard qui gesticulait pour diriger la circulation. Un zèbre policier, c'était farfelu. Même les automobilistes ne savaient plus où donner de la tête.

À la boulangerie, Géraldine Lépine, l'enseignante, acheta son pain. Les petits gâteaux furent les seuls à ne pas prendre la forme d'un zèbre. Les clients et la boulangère, oui. Comme les automobilistes. Comme ceux et celles qui mangeaient au restaurant. Et que penser du commis de l'épicerie? Il vit des zèbres acheter des céleris, des radis et des fruits.

En quelques heures, la petite ville de rien du tout s'était métamorphosée. Des zèbres trottaient partout. Le pompiste jura qu'il en avait vu un voler.

— Ça ne se peut pas, s'écria un zèbre en patins.

Ce patineur avait raison. Les zèbres ne volent pas. Ils peuvent se promener n'importe où, venir en troupeau rencontrer les gens, mais les zèbres ne volent pas.

Ce jour-là, Picots-les-Bains fut envahi par les zèbres. Des zèbres qui zigzaguaient au volant de leur automobile…

Qui réparaient leur clôture…

Qui servaient les clients zébrés de l'épicerie…

Qui discutaient à la télévision…

Qui apparaissaient sur les affiches de cinéma.

Plusieurs avaient même aperçu un zèbre qui dévorait les derniers pâtés de neige.

Les zèbres avaient remplacé tous les citadins.

Quand il revint de l'école, Victor Olivier,
le petit garçon aux yeux marron, cria:

— Maman, le chauffeur de l'autobus scolaire
est un zèbre.

Il se rendit dans le bureau de sa mère. Depuis
le matin, Victoria était un zèbre.

Cela ne l'empêchait pas de dessiner des maillots de bain. Cette fois, cependant, les maillots
étaient unis et de couleurs très voyantes. Et,
bien sûr, des zèbres portaient ces vêtements.

— Maman, toi aussi, tu es un zèbre, s'exclama
Victor.

— Je sais. Je me sens juste un peu bizarre.
Mais j'ai eu des idées nouvelles pour mon travail.
Joli, n'est-ce pas?

Victor Olivier dut admettre que sa mère, zèbre
ou pas, dessinait toujours aussi bien.

Le lendemain, avant de quitter la maison, le petit garçon dit:

— Tu sais ce que j'ai vu, maman?

— Un crocodile à ressorts peut-être?

Victor se mit à rire. Un crocodile à ressorts. Il n'avait jamais vu ça. Il eut le malheur de répondre:

— Pas un crocodile à ressorts. C'est impossible.

Ce matin-là, les Picotins zébrés ne s'étonnèrent pas. Un crocodile à ressorts, qui s'appelait Victor, monta dans l'autobus scolaire.

Plus loin, un zèbre mystérieux quitta Picots-les-Bains. Il n'y avait plus un brin de neige. C'était le printemps.

Texte de Marc Tremblay
Illustrations de Fil et Julie

Le petit frère
du chaperon rouge

Il était une fois…

Au bout d'un village, à l'orée de la forêt, dans une jolie maison, habite le Petit Chaperon rouge. Un après-midi, la fillette est assise à une table devant la cheminée du salon. Elle dessine le loup qu'elle a rencontré l'été précédent. À ses côtés, son petit frère construit un château avec des cubes de bois.

Leur mère les rejoint en tenant un panier.

— Ma chérie, dit-elle, voudrais-tu porter ces biscuits au chocolat et ce petit pot de beurre à ta grand-mère, dans la forêt?

La petite fille soupire:

— Maman, pourquoi est-ce toujours moi qui vais chez grand-mère? Il fait froid, aujourd'hui!

Son petit frère se lève:

— J'aimerais y aller, moi!

Sa mère réfléchit un instant:

— D'accord. Prends garde au loup! Et ne t'attarde pas en chemin!

Le petit garçon revêt son manteau préféré:
son parka violet, avec un grand capuchon. Il
porte si souvent ce vêtement que les gens du
village le surnomment le Petit Parka violet.
Il enfile sa tuque bleue, son foulard, ses mitaines
et ses bottes. Puis il prend ses raquettes,
appuyées contre le mur, sort de la maison et
marche vers la forêt.

Le petit garçon avance entre les grands sapins
couverts d'une fine couche blanche. Soudain, un
loup jaillit sur le sentier en criant:

— Bou!

Le Petit Parka violet est surpris. Toutefois, il n'a pas peur, car le loup est petit.

— Qui es-tu? demande l'enfant.

— Je suis le petit frère du grand méchant loup! Je dois t'effrayer!

— Tu n'es pas effrayant!

— Mais si! Je suis redoutable et terrifiant!

Voyant que le garçon demeure calme, Petit Loup s'attriste.

— Tu n'as pas peur? questionne-t-il, les larmes aux yeux. Même pas un peu?

Le Petit Parka violet se sent ému:

— Eh bien si, j'ai un peu peur.

— C'est vrai?

— Oui, oui.

Petit Loup essuie les larmes qui commencent à geler sur le bout de son nez:

— Où vas-tu?

— Je vais chez ma grand-mère, lui porter un petit pot de beurre et des biscuits au chocolat.

Petit Loup se gratte l'oreille:

— Que me conseillerait mon grand frère? marmonne-t-il. Ah oui! Je dois me rendre au même endroit que ce garçon et arriver le premier.

Il ajoute, à haute voix:

— Je veux aller chez ta grand-mère, moi aussi! Faisons une course. Prends le chemin de gauche et j'irai à droite.

— Tu es sûr de ne pas te tromper? Tu as choisi le chemin le plus long.

— Mais non! Un, deux, trois… Partons!

Petit Loup avance sur le chemin de droite et le Petit Parka violet sur celui de gauche. L'enfant entend bientôt un triste hurlement: «Aaoouuh!» Il retourne sur ses pas, continue sur l'autre voie et découvre Petit Loup enfoncé dans la neige jusqu'à la taille.

— Qu'est-ce qui t'est arrivé? demande l'enfant, tout étonné.

— Je m'enfonce dans la neige à chaque pas. Et je me suis perdu. J'ai marché à côté du sentier et je suis tombé dans le fossé.

Le Petit Parka violet aide Petit Loup à sortir de la neige. L'enfant a une bonne idée. Il ramasse deux branches d'un sapin que le vent a cassé et les tend au loup:

— Attache ces branches sous tes pieds, tu auras des raquettes, toi aussi! Prends le chemin de gauche. Je continuerai par ici!

Petit Loup attache les branches de sapin sous ses pieds. Il donne de nouveau le signal du départ:

— Un, deux, trois… Partons!

Petit Loup marche plus rapidement, grâce à ses raquettes. Bientôt, il rejoint une jolie maison tout en briques, avec une cheminée qui fume: il est arrivé chez grand-mère le premier. Il cogne à la porte.

— Qui est là? demande une voix de dame âgée.

Petit Loup se rappelle ce que lui a dit son grand frère. Pour entrer dans la maison, il doit se faire passer pour un autre:

— Je suis ton petit-fils, le Petit Parka violet.

— Entre.

— Comment?

— Tire la chevillette, la bobinette cherra.

— Je ne comprends rien du tout!

La grand-mère tourne la poignée et ouvre la porte.

— Oh! tu n'es pas mon petit-fils. Tu es un charmant petit loup!

— Je ne suis pas charmant! ronchonne Petit Loup. Ce sont les princes qui sont charmants, pas les loups! Je dois vous faire peur et vous manger!

— Tu veux me manger?

— À vrai dire, je préfère la tarte aux pommes.

À la pensée de son dessert préféré, il sent son estomac gargouiller. Grand-mère sourit:

— Tu sembles avoir faim. Je voulais justement préparer une tarte. Je dois passer prendre des pommes chez ma voisine. Repose-toi dans la maison en attendant.

Grand-mère enfile ses bottes et son manteau, puis elle sort.

Resté seul, le loup se promène d'une pièce à l'autre en réfléchissant tout haut.

— Que dois-je faire, maintenant? Ah oui! Me déguiser, pour tendre un piège au Petit Parka violet!

Petit Loup se cherche des vêtements. Il trouve dans une armoire un grand chandail de laine bleu. Lorsqu'il l'enfile, les manches pendent sur le plancher. Il prend aussi les lunettes de lecture de grand-mère, qu'il place sur son museau, et des cache-oreilles.

Une fois déguisé, il grimpe sur la chaise berçante du salon.

Le Petit Parka violet cogne à la porte.

— Qui est là? demande Petit Loup, en imitant la voix de grand-mère.

— Le Petit Parka violet!

— Tire la chenillette et la bobinette te saluera!

— Qu'est-ce que tu dis?

— Tourne la poignée!

Le Petit Parka violet entre dans la maison. Il retire ses mitaines, sa tuque, son foulard, son manteau et ses bottes. Dans le salon, sa grand-mère se berce, vêtue d'un long chandail. L'enfant la trouve bien plus petite qu'à l'habitude! Il s'étonne:

— Pourquoi portes-tu des lunettes, grand-maman?

— C'est pour mieux te voir, mon enfant! s'exclame Petit Loup, en se retenant pour ne pas rire.

— Est-ce que tu me vois mieux? demande le petit garçon.

— Non! Je vois embrouillé.

— Pourquoi portes-tu des cache-oreilles?

— C'est pour mieux t'entendre, mon enfant!

— M'entends-tu mieux?

— Non! J'entends très mal! Parle plus fort!

— Pourquoi as-tu un grand nez poilu?

— Tu trouves que j'ai un grand nez?

Petit Loup est vexé. Le petit garçon remarque un autre détail étrange:

— Pourquoi as-tu de si grandes dents? Tu n'es pas grand-maman! Tu es le loup!

Petit Loup se jette sur le Petit Parka violet. Celui-ci n'a pas peur, mais il se sauve et zigzague entre les meubles. Petit Loup court, lui aussi. Avec les lunettes, il voit des formes floues partout et se cogne contre le mur.

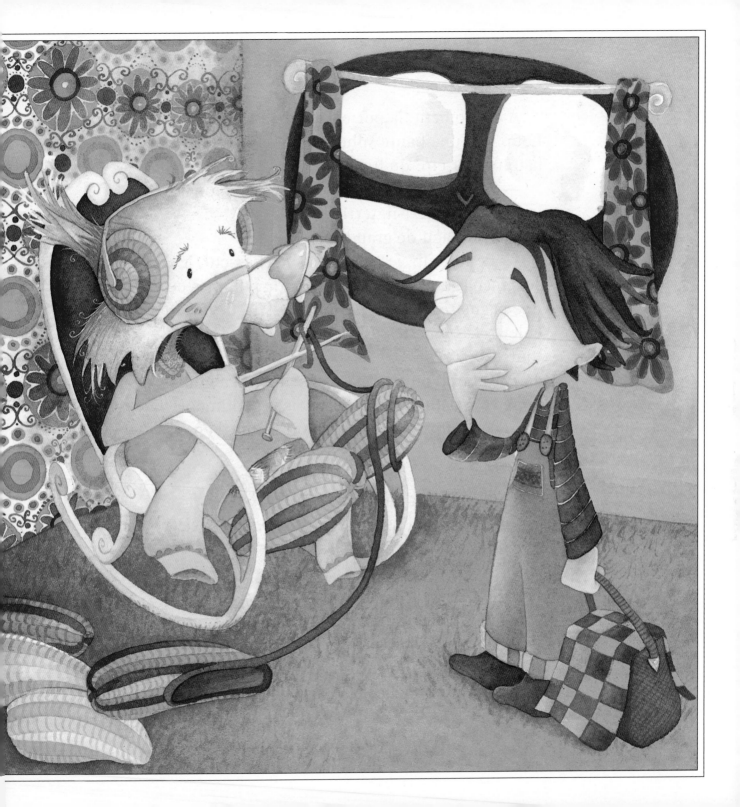

À ce moment, la porte d'entrée s'ouvre. Petit Loup voit une haute silhouette qui porte un bâton, peut-être un fusil.

— Non! Non! Ne tirez pas sur moi, monsieur le chasseur, crie-t-il, terrifié.

Mais il s'agit de grand-mère.

— Petit Loup, je ne suis pas le chasseur, je suis mère-grand! Je tiens un sac de pommes et une baguette de pain, pas un fusil! Tu devrais enlever ces lunettes. Elles ne te vont pas du tout.

Petit Loup retire son déguisement. La grand-mère et le petit garçon lui sourient gentiment.

— Personne n'a peur de moi! gémit-il en pleurant.

— Pourquoi veux-tu effrayer les gens? demande le Petit Parka violet.

— Mon grand frère m'a appris que c'est ce que font les loups.

— Ça ne doit pas être toujours amusant de faire le méchant loup.

— Non… les animaux de la forêt se tiennent loin de moi… Et je me retrouve tout seul.

— Je m'amuse beaucoup avec toi. Nous pourrions continuer dehors.

Le Petit Parka violet et Petit Loup sortent de la maison. Ils jouent à se poursuivre. Quand ils commencent à se fatiguer, ils cherchent un jeu plus reposant. Ils forment une grosse boule de neige. Deux animaux de la forêt, un lièvre et un raton laveur, les observent, derrière un arbre. Comme Petit Loup semble gentil, ils s'approchent et aident les deux nouveaux amis à construire un bonhomme de neige.

Un peu plus tard, grand-mère les invite tous à rentrer. Elle a préparé une collation. Sur la table, il y a une assiette de tartines de beurre et des biscuits au chocolat. Le Petit Parka violet remercie sa grand-mère. Petit Loup, lui, ouvre grand sa gueule et dévore… un morceau de tarte aux pommes!

Texte de Sylvain Meunier
Illustrations de Steeve Lapierre

Il était une fois
Graindsel et Bretelle

À Yanna et à Jade

Au temps de la télévision sans couleur, deux enfants vivaient heureux avec leurs parents dans une belle grande maison.

Au bout d'une rue bordée d'arbres, il y avait la vieille confiserie grise où travaillaient leur papa et leur maman.

La confiserie fabriquait de la réglisse, des caramels mous, des œufs de Pâques, des cannes de Noël, de la tire blonde, des sucres d'orge, des pastilles acidulées, des boules noires qui changeaient de couleur quand on les suçait et, surtout, du chocolat!

Les deux enfants, cela va de soi, raffolaient de ces friandises.

Le plus jeune était un garçon vif comme une menthe piquante et imprévisible comme un sac à surprises. Parce qu'il avait la manie de se mêler de tout, on le surnommait Graindsel.

Sa sœur portait une jupe suspendue par des bretelles de couleur vive: on l'appelait Bretelle.

Les parents n'étaient pas riches, mais les assiettes étaient remplies et les vêtements chauds. Le soir, avant de s'endormir, Graindsel et Bretelle bavardaient de lit à lit. Parfois, ils écoutaient au travers des murs les conversations de leurs parents.

Or, un soir ils entendirent leurs parents parler d'une chose épouvantable! Des savants prétendaient que le sucre était mauvais pour la santé. Quelle idée! Rien ne pourrait jamais remplacer le plaisir de mordre à pleines dents dans un beau morceau de chocolat fondant. Après tout, des dents, ce n'est pas si difficile à nettoyer!

De plus, les gens s'étaient pris d'une rage de maigrir. Maigre, maigre et encore plus maigre, c'était la nouvelle devise. Alors, finis, les bonbons!

La figure des parents s'assombrit à mesure que les ventes de friandises diminuaient. On commença même à craindre que la confiserie ne ferme.

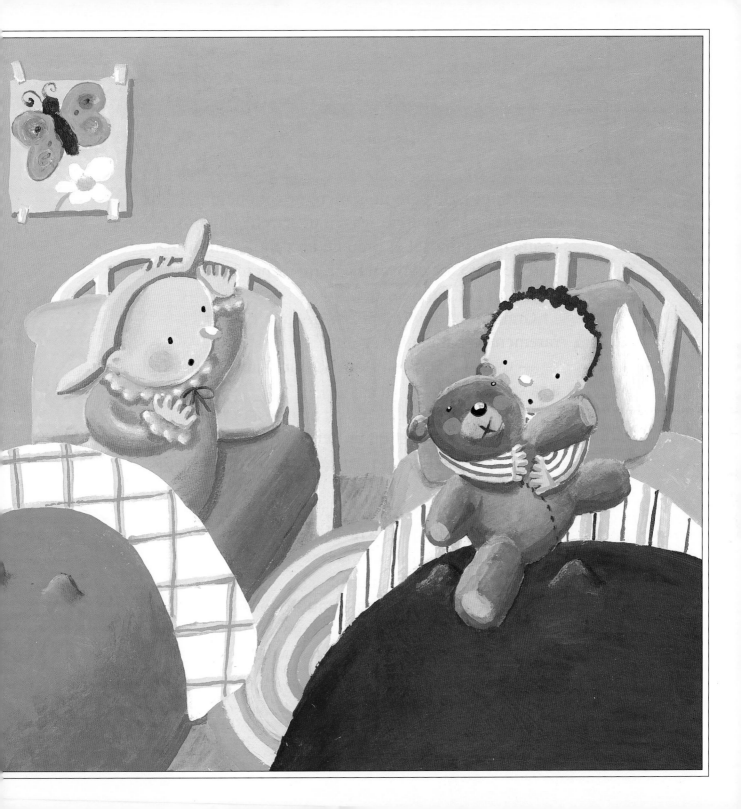

Un soir, ni le père ni la mère ne touchèrent à leur assiette. Ils envoyèrent les enfants au lit plus tôt. Inquiets, Graindsel et Bretelle ne s'endormirent pas tout de suite. La conversation qu'ils percevaient n'avait pas le ton habituel.

Graindsel, toujours pressé de savoir, avait rarement la patience d'écouter.

— Qu'est-ce qu'ils disent? demandait-il sans arrêt à sa sœur.

— Maman s'inquiète de ce qu'on va devenir si la confiserie ferme et qu'ils perdent leurs emplois. Papa ajoute qu'il faudra peut-être vendre la maison! coupa Bretelle.

— On va aller vivre dans la forêt?

— Maman dit que ce ne sera pas facile de trouver un logement avec deux enfants.

— Ils vont nous abandonner?

— Oh! tu as trop d'imagination, toi.

Graindsel, enfin endormi, fit un horrible cauchemar. Il se vit avec sa sœur, perdus dans une forêt infestée de loups, vêtus de guenilles, gelés et affamés.

Bretelle, de son côté, ne trouvait pas le sommeil. Les dernières paroles de son frère la hantaient. Plus elle y pensait, plus elle imaginait à son tour les pires choses.

Entendant gémir Graindsel, elle le réveilla.

Elle venait d'avoir une idée. Ils s'habilleraient sans faire de bruit, sortiraient, et marcheraient jusqu'au-delà des usines, là où habitaient des gens riches. Ils s'assoiraient par terre et pleureraient jusqu'à ce qu'une dame les prenne en pitié et leur donne des sous.

Ils se retrouvèrent dehors, seuls dans la nuit, pour la première fois. Rien ne bougeait. Même la lumière des réverbères semblait gelée.

Les flaques d'eau étaient devenues des patinoires, les arbres, des squelettes griffus.

Ils marchèrent longtemps et aboutirent au milieu des usines endormies.

— Où sont les belles maisons? demanda Graindsel, tremblant de froid et de peur.

Bretelle ne savait que répondre.

— Nous allons nous asseoir et réfléchir, dit-elle.

Mais Bretelle avait beau se creuser la tête, elle revenait toujours à la même terrible évidence: ils étaient perdus!

Et ils auraient le temps de se transformer en crème glacée avant qu'une dame riche vienne à passer dans ce lieu sinistre!

Ils se réfugièrent sous un porche. Elle serra son petit frère contre elle. Il dormait presque. Elle appuya la tête contre la porte et se sentit bien seule.

Elle n'était cependant pas si seule qu'elle le croyait.

De l'autre côté de la porte, un être inquiétant s'approchait. Il boitait et louchait. Quand il écartait ses lèvres crevassées, ses dents vertes dégageaient une odeur affreuse. Ceux qui lui serraient la main n'oubliaient jamais le grattement de ses ongles noirs.

À minuit, ce répugnant personnage se coiffait d'une casquette, qui était toute sa fierté, et il entreprenait sa ronde. En effet, il était veilleur de nuit de son métier et il s'appelait Gourdin.

Le gardien Gourdin avait l'habitude, lors de sa tournée, de prendre un peu d'air frais. Cette nuit-là, lorsqu'il poussa la porte et glissa la tête à l'extérieur, il aperçut les deux enfants terrifiés.

— Eh! qu'est-ce que vous faites là, vous autres? s'étonna-t-il.

— On est perdus! bredouilla Bretelle.

— Perdus! C'est épouvantable! fit l'homme en montrant ses dents vertes. Vous avez des noms, je suppose.

— Graindsel, révéla le petit garçon.

— Et vous, qui êtes-vous? osa demander Bretelle.

— Gourdin, gardien de nuit, pour vous servir!

Ce disant, il avait porté la main à sa casquette à la manière d'un soldat.

— Maintenant, entrez, on gèle!

Le premier réflexe de Bretelle fut de détaler à toutes jambes. Mais l'air qui s'échappait par la porte était chaud et attirant.

— Ça sent drôlement bon, là-dedans! souffla Graindsel en passant sa langue sur ses lèvres.

Bretelle accepta l'invitation. Pourtant, lorsque le veilleur de nuit referma la porte, la peur lui serra la gorge.

Les enfants emboîtèrent le pas au gardien Gourdin qui se traînait en faisant tinter les clefs attachées à sa ceinture.

— Suivez-moi bien parce si vous vous perdez, il serait difficile de vous retrouver, ordonna-t-il.

Ils débouchèrent dans une salle remplie d'énormes cuves reliées par des tuyaux dorés. Graindsel ne put s'empêcher de regarder dans l'une d'elles. Elle débordait de pastilles colorées!

Gourdin prit des pastilles avec sa casquette.

— Un peu de chocolat vous fera du bien, dit-il. Vous êtes trop maigres à mon goût! Hi, hi, hi!

Bretelle avait envie d'éclater en sanglots.

Un peu plus loin, une autre cuve émettait un glouglou étrange. Les narines expertes de Graindsel reconnurent aussitôt l'odeur affriolante du caramel chaud.

— Prenez garde, c'est assez chaud pour cuire un petit cochon de lait! Hi, hi, hi! plaisanta Gourdin.

Bretelle frémit: cet homme était sûrement un maniaque, un bourreau d'enfants, un ogre affamé! Tout autour, des centaines d'animaux bruns les fixaient en silence.

— Je ne pense pas que vos parents vous trouveraient jolis, enrobés dans le chocolat! Hi, hi, hi!

Les enfants reculèrent vivement.

— Bon, ma ronde est finie! Assoyez-vous, j'ai un coup de téléphone très important à donner.

Il entra dans un petit bureau.

— Je n'aime pas ça, dit Bretelle.

— Moi non plus, répondit Graindsel. Pourquoi rit-il tout le temps? On dirait qu'il ne pense qu'à nous faire cuire.

— Sauvons-nous! décida Bretelle.

Et ils s'élancèrent tels des coureurs olympiques.

— Eh! où allez-vous? cria le gardien Gourdin.

Les enfants s'étaient déjà faufilés entre les machines. Cachés derrière de gros tuyaux, ils virent s'approcher le vilain. Il s'arrêta sous un énorme entonnoir.

— Voyons! Je ne vous veux pas de mal...

Graindsel bondit comme un missile et tira sur la poignée. L'entonnoir vomit une masse de sirop doré, et le sinistre personnage fut englué de la tête aux pieds. Les enfants grimpèrent un escalier et se tapirent derrière une cuve.

Le gardien Gourdin devina vite leur cachette.

— Ne vous sauvez pas, vous allez vous perdre!

Bretelle agrippa un tuyau et, à la manière d'un singe, elle projeta ses pieds en avant, heurtant le veilleur de nuit en pleine poitrine. Le pauvre bascula dans la cuve en hurlant. Il s'y démena de longues secondes. Il en ressortit couvert de paillettes multicolores, véritable friandise ambulante qui gigotait en grognant.

Les enfants s'engouffrèrent dans un couloir. Gourdin courait encore. Ah! que les enfants le trouvèrent long, ce couloir. Ah! qu'ils étaient fatigués. Le monstre se rapprochait à grande vitesse! Au bout du couloir, il n'y avait qu'une porte, fermée! Le bruit des semelles gluantes de sirop était maintenant juste derrière eux.

Bretelle se précipita sur la poignée. L'ombre du gardien Gourdin se dessina sur la porte, les bras levés...

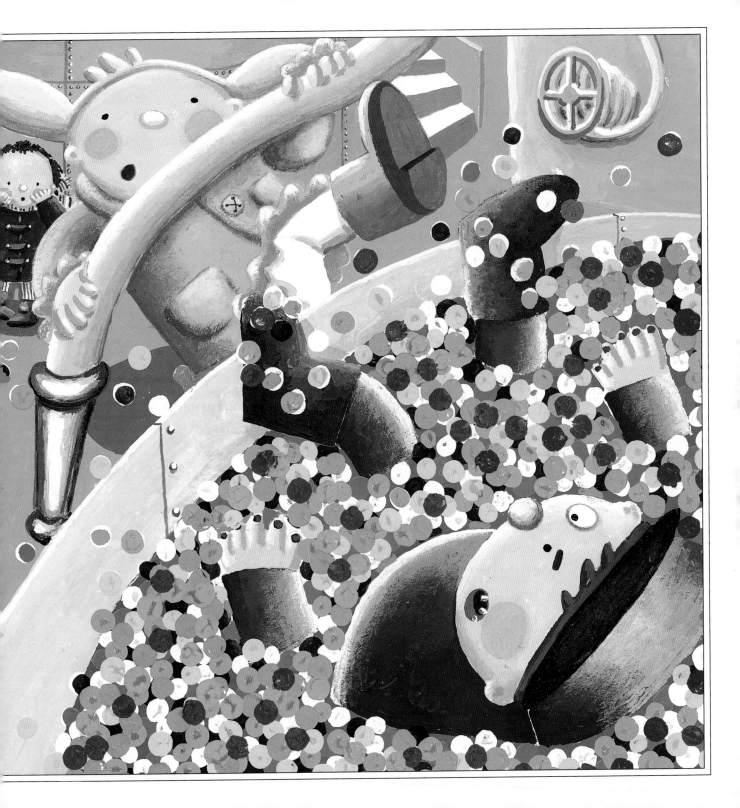

La porte s'ouvrit et les deux enfants butèrent contre des jambes d'adultes. À bout de souffle, ils levèrent les yeux. Déjà des bras vigoureux s'emparaient d'eux, les soulevaient et les étreignaient.

— PAPA! MAMAN!

Et ils fondirent en sanglots.

— Vous voilà enfin! s'exclama le gardien, essoufflé.

— Oh! Gourdin! Que vous est-il arrivé? demanda maman.

Avec à la main sa casquette, qui ressemblait à un gâteau d'anniversaire écrasé, le gardien Gourdin se rendit compte dans quel piteux état il se trouvait.

Étant donné qu'il n'existe pas beaucoup de garçons appelés Graindsel, le gardien Gourdin, qui connaissait tout le monde, avait téléphoné à la maison.

Les parents ramenèrent leurs enfants. Jamais ils ne les abandonneraient. Graindsel et Bretelle continuèrent de grandir heureux, malgré les difficultés de la vie.

Un jour, papa et maman ouvrirent une jolie boutique où, depuis, ils confectionnent et vendent, très cher, de minuscules chocolats, fins et mignons comme des bijoux.

Cet album contient 12 contes de la collection Il était une fois...

Il était une fois
la petite fille qui détestait
l'heure du dodo

Texte de
Marie-Francine Hébert
Illustrations de
Marisol Sarrazin

Il était une fois
un monsieur nommé Piquet
qui adorait les animaux

Texte de
Raymond Plante
Illustrations de
Marie-Claude Favreau

Il était une fois
l'ourson qui voulait
une Juliette

Texte de Jasmine Dubé
Illustrations de Leanne Franson

Il était une fois
un petit garçon qui avait peur
de tout et de rien

Texte de
Stanley Péan
Illustrations de
Stéphane Poulin

Il était une fois
Grattelle au bois mordant

Texte de
Jasmine Dubé
Illustrations de
Doris Barrette

Il était une fois
une chauve-souris
qui pleurait d'être trop belle

Texte de
Christine Bouillat
Illustrations de
Leanne Franson

Il était une fois
le crocodile qui croquait
les cauchemars

Texte de
Sonia Sarfati
Illustrations de
Caroline Merola

Il était une fois
une Barbouillée
qui avait perdu son nez

Texte de
Raymond Plante
Illustrations de
Marie-Claude Favreau

Il était une fois
la petite fille qui voulait
être roi

Texte de
Marie-Danielle Croteau
Illustrations de
Christiane Beauregard

Il était une fois
la curieuse invasion
de Picots-les-Bains par les zèbres

Texte de Raymond Plante
Illustrations de
Leanne Franson

Il était une fois
le petit frère
du chaperon rouge

Texte de Marc Tremblay
Illustrations de
Fil et Julie

Il était une fois
Graindsel et Bretelle

Texte de Sylvain Meunier
Illustrations de
Steve Lapierre